AFRICA

アフリカの54ヵ国

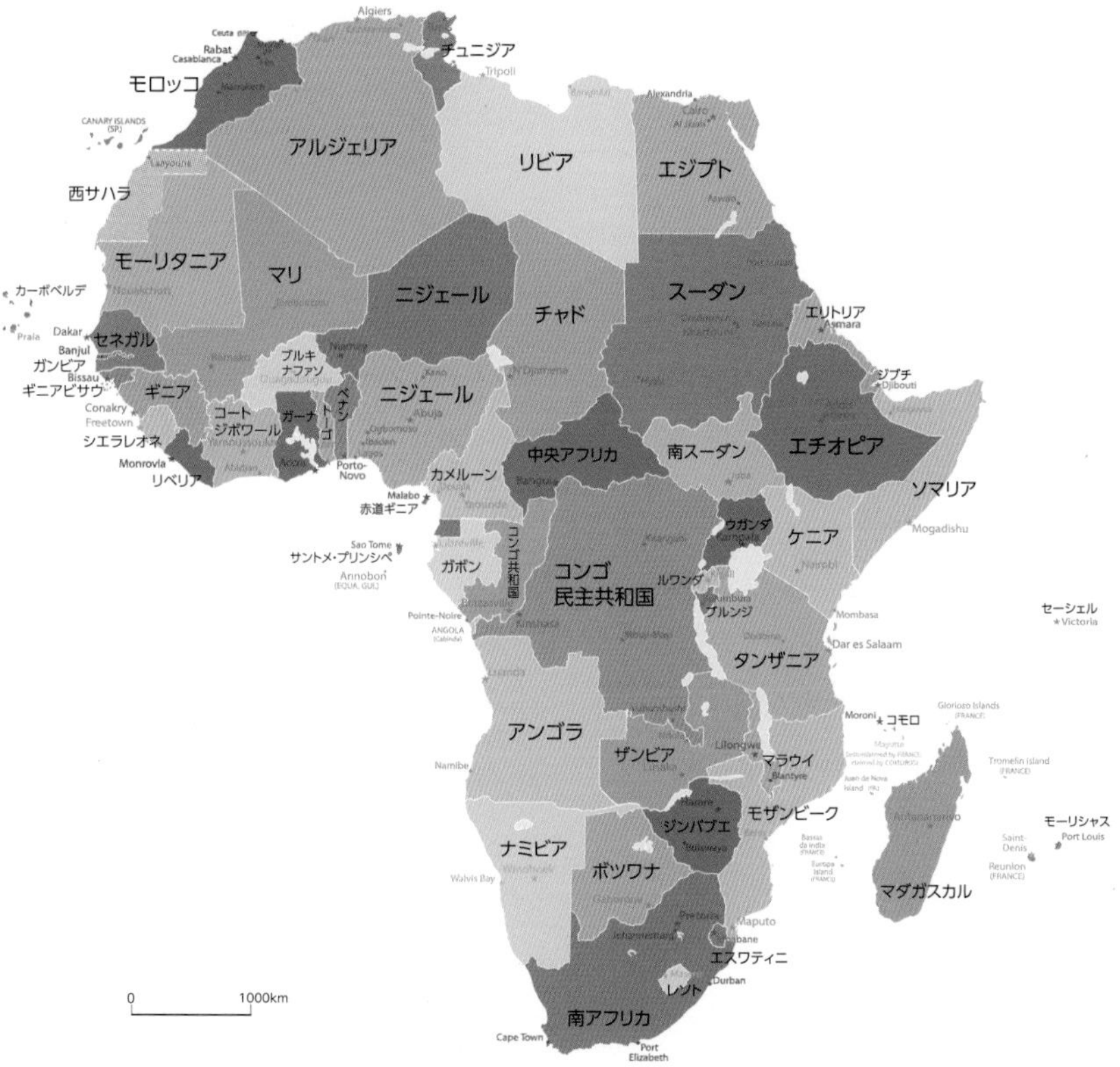

ekler/shutterstock.com

アディスアベバ。大都会の開発とその裏には、立ち退きを迫られる貧しい人々がいる。首都を一歩出ると、牧歌的な風景が広がる。

エチオピアとジブチをつなぐ鉄道は、約１世紀前にフランスが敷設。現在ここは鉄道博物館とカフェになっていて、誰でも訪れることができる。フランスの名残で、駅舎内の掲示はフランス語。現在はこの地区を中東のある国の資本で大開発計画中。

エチオピア最後の皇帝、ハイレセラシエの寝室。アディスアベバ大学博物館。

式典で太鼓を叩く少年。コートジボワール。

ラリベラの岩窟教会（エチオピア）。巨大な岩を頂上から下に向かってくり抜くようにして造られた教会。一夜のうちに、天使が造ったと伝えられている。世界遺産。

ゴンダールのファシル城。17世紀頃、西洋の使者がこれを見て、近代的な発展に驚き、エチオピアの植民地化を断念したとも言われている。

アフリカの地方出張でよく利用する国連チャーター機。重量制限がある場合、荷物を背負って体重計に乗り、「1人あたり80kgまで」などと定められるときもある。

着陸する空港の滑走路は未舗装。

アフリカの角にあるソマリアの中で、自称独立国家ソマリランドの首都ハルゲイサでよく見られる風景。露店の市場のような場所で札束を積み上げて両替する。50米ドルを換金すると、両手で一抱えほどのソマリランド・シリングの札束になる。それだけ価値が低いので、通常は100枚1束単位で使用する。

巨大な蟻塚。アフリカの地方ではよく見られる光景。

伝統社会の風習などを残す地方の村で撮影。エチオピア南部諸民族州。

紀元前から貿易で栄えたカルタゴ遺跡（チュニジア）。世界遺産。象を引き連れて
ピレネーやアルプス越えをしたハンニバル将軍は有名。

ヴィクトリアの滝（ジンバブエ）。世界遺産。世界三大瀑布の一つ。

日本の支援による水田で米作りをする人々（ニジェール）。身体のつくりが異なるためか、田植えなどの作業の際、日本人のように膝を曲げて腰をかがめるのではなく、足をまっすぐに伸ばして身体を二つに折るようにして作業するのだそう。

バオバブの木。古いものは樹齢2000年以上にもなるという。果実は食用になる。サン＝テグジュペリの『星の王子さま』に登場。幹に大量の水を貯めるので、乾季に象が幹を食べることがある。

フランス政府主催の不拡散対策の訓練セミナーに参加（ジブチ)。違法物、危険物の流通を水際対策で防止するためのセミナー。軍人や税関、インテリジェンス関係者とともに、軍艦に乗って実践的な講習会が行われた。

ハラールのムスリム街（
チオピア）。フランスの詩
アルチュール・ランボオ
滞在した家が博物館にな
ている。ランボオは詩人
ある傍ら、武器の売買を
介していたとも言われる。

ムスリムのお宅にお招きい
ただき、伝統的なおもてな
しを体験。

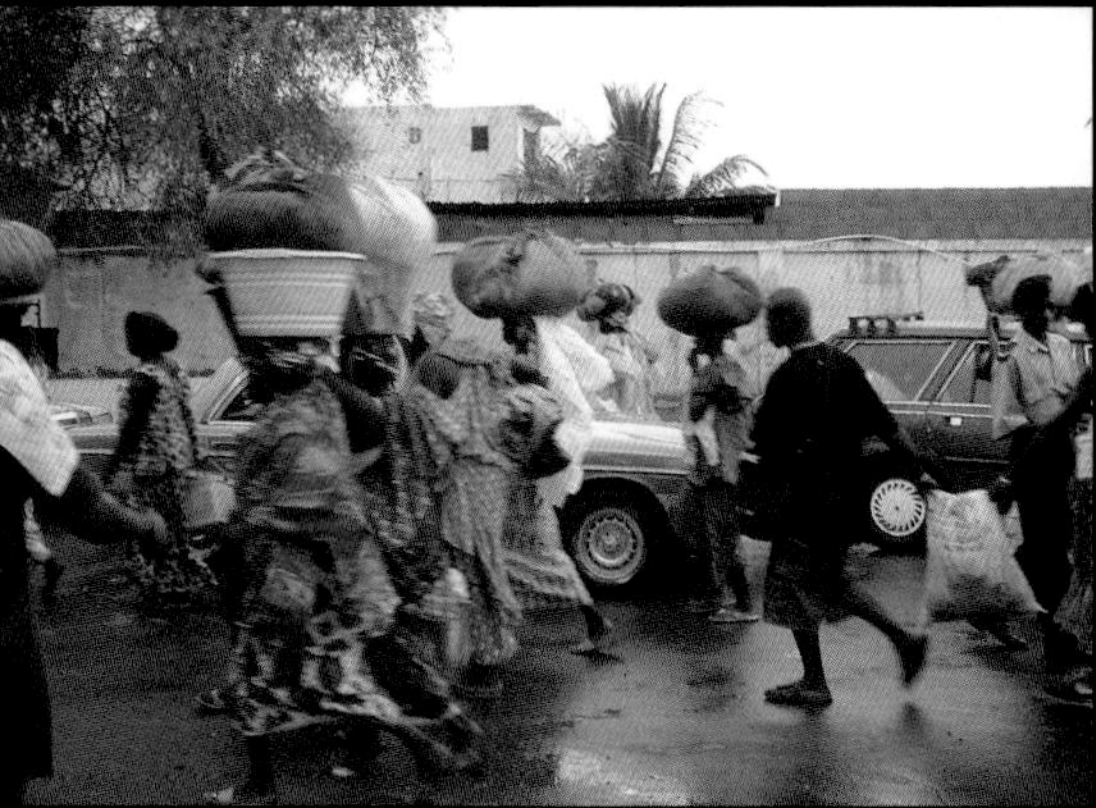

アフリカの女性は働き者。
頭上に荷物を載せて上手に
バランスをとって市場に向
かう。

仮面の魔力。コートジボワールの伝統的な儀式。白い方は、遠い昔、白人がこの村にやってきて大事業を成し遂げた、という言い伝えに基づいたものだそう。

コートジボワール。女性の洋裁学校へのミシン供与の際には、自分たちで制作した衣装を着るファッションショーが行われた。

ブルキナファソの小学校。生徒たちが整列しているところ。

ベナンの地方の村の水くみ場。
足で漕いでポンプが作動する仕
組み。少年が実演してくれた。

ギザのピラミッドとスフィンクス（エジプト）。世界遺産。この前を通るとき、スフィンクスから「朝は４本足、昼は２本足、夜は３本足の生き物は何か？」と謎かけが出されると言い伝えられている。

躍動する

森本 真樹

アフリカ

ベレ出版

はじめに

「森本さん、面白い話だから、本にしたらいいですよ」

二度目のエチオピア赴任直前に東京でお会いした方に、アフリカ（エチオピア）の話をした際にこう言われました。私はとっさに返しました。

「いえいえ、一度エチオピアに住んだ人なら誰でも知っていることですよ」

しかし、その方は、「いや、普通の人はそんなこと知りませんよ」と言いました。

確かにそうです。就職してから、私の周りには、アフリカ人やアフリカに関わった日本人や外国人がいつもいました。つまり、私にとってアフリカは比較的身近な存在でしたが、おそらく一般の日本人の感覚からはズレていたということでしょう。


アフリカ。距離はかなり遠く、また日本人にはあまりよく知られていません。あるいは、暗黒大陸のイメージがアフリカ大陸の全体を覆ったままかもしれません。

遠いと思っていたアフリカは、実は日本と歴史的にも関係が深いのです。アフリカの豊富な資源は、日本人の生活を支えています。世界最大級の地域機関（ＡＵ）がアフリカには存在し、それを中心にアフリカの統合を進め、躍動しています。デジタル転換においては、日本より進んでいるところもあります。人口増加のスピードも速く、あと30年も経たずに世界人口の4人に1人はアフリカ系になるとも言われています。しかし、様々な課題もあります。これまで合計9年間アフリカに住んで、現地の人々と接してみて、初めて見えることがたくさんあります。

「最初の7秒（seven seconds）」という表現があります。人間が誕生してから全くの無垢の状態を表す言葉です。生まれて7秒を過ぎると、一気にいろんなことを覚え、経験し始めます。しかし、個人的な経験では、生まれてから半世紀が経っても、まだまだ知らないことだらけです。人間の知の探求は尽きないものです。その探求の中に、アフリカを含めていただければ嬉しく思います。

この本では、私がアフリカでの仕事や生活で学び、経験したことの中から、アフリカとのビジネスや研究の入口として役に立ちそうな項目を綴ってみました。したがって、アフリカのすべてを網羅しているわけではありませんし、職務上知り得たことで公にできないこともありますので、その点はあらかじめご了承ください。人類発祥の地、アフリカは、長い歴史を経て確実に進化してきています。これからますます面白くなる大陸と人々です。もっともっと多くの日本人がアフリカに関心を持っていただければ、そしてこの本がその一助になれば幸いです。

なお、この本の内容は、私が所属する組織とは関係なく、すべて私個人の見解です。

目次

第1章

アフリカとは

1 ステレオタイプではないアフリカの現実

すべてがケタ外れなアフリカ

２０１９年師走。私は3回目のアフリカ勤務で、エチオピアの首都アディスアベバに着任しました。最初のアフリカ勤務は１９９５年のコートジボワール。西アフリカのこの国は、フランスの植民地だった時代に象牙の積み出し港として栄えたことから、フランス語で「象牙海岸」を意味する「Côte d'Ivoire」が国名になりました。赴任前に先輩から「高所恐怖症でなければ機内の窓側に席を取って、サハラ砂漠を見ながら来たらいい」とアドバイスを受けて、そうしたのを覚えています。エールフランスの機体の小窓から覗くと、眼下には、燃えるような赤茶色をした大地が広がっていました。次は、２００５年、東アフリカのエチオピアへの赴任でした。３０００年の歴史を有し、アフリカで唯一植民地支配を受けなかった国です。よって、今回は2回目のエチオピア勤務となりました。仕事での駐在を含め、私はこれまで約30のアフリカの国々に渡航しました。日本人にしては多いほうかもしれませんが、アフリカ大陸には54の国があります。したがって、未踏の国がまだ20以上もあります。

すなわち、アフリカは広い。そして、深い。さらには、実に多様です。

この大陸の面積は約３０３７万㎢で、地球の表面積の６％、陸地全体の20・４％を占めます。日本と比較すると、アフリカは日本の国土の80倍の大きさになります。米国、中国、インド、欧州主要国、日本を含むアジア・大洋州を合計したくらい、と言えば、その規模感が伝わるでしょうか。

人口は13億人超で、これは世界人口の17％を占めます。つまり、世界の６人に１人はアフリカ系ということになります。日本は距離的にもアフリカから遠く、まだまだ実感が湧かないかもしれませんが、欧州の英国やフランスに行くと、アフリカ系と思われる人々をたくさん見かけます。２００２年の日韓サッカー・ワールドカップの記念すべき初戦は、グループAのフランス対セネガルでした。セネガル・チームの選手のほとんどはフランスのクラブチームでプレーしていて、フランス・チームの選手のほとんどがアフリカ系だったことから、テレビ中継の解説者が「ユニフォームの色を除けば、選手の見分けがつかない」と述べていたのが印象的でした。

この頃のアフリカの人口は約９億人ですから、今日までの20年間で約1・5倍と、飛躍的に増加したことになります。別の統計では、１９５０年から２０１０年で、アフリカの人口は4・5倍以上増えたそうです。国連が報告する人口動態観測によれば、２０５０年には、北アフリカを除く、サハラ砂漠から南の、サブサハラ・アフリカと呼ばれる地域の人口が倍増すると言われています。今から30年も経たないうちに、世界人口の４人に１人はアフリカ系になると言われています。さらに、2100年には、人口の40%、つまり半分近くがアフリカ系になるそうです。

圧倒的なサイズ感に加えて、その多様性にも目を見張るものがあります。50以上あるアフリカの国のそれぞれに、多種多様な民族や言語があります。私が住んでいたエチオピアだけでも、国内に80もの民族がいると言われています。アフリカ全体でどのくらいかを、正確に把握できている人はおそらくいないでしょう。

アフリカは一様に貧しい、というイメージがあるかもしれません。確かに貧困は今でも深刻な課題です。しかし、人口増加に負けないくらい、経済成長にも目を見張るものがあります。COVID-19のパンデミック発生以前の2019年のアフリカ大陸全体の実質GDP成長率は3・3%と堅調でした。パンデミックの影響をもろに受けた2020年はマイナス2・1%でしたが、2021年は3・4%とプラスに転じ、2022年には4・6%の成長が見込まれています。

ステレオタイプなアフリカのイメージと現実のギャップ

アフリカ、と聞いて何を思い浮かべますか？　ライオンやキリンがいるサファリ。紛争や飢餓が絶えない不安定な大陸。陽気で躍動感あふれる音楽やダンス。これらはどれも、現実にあるアフリカです。しかし、それだけではありません。いやむしろ、そういったステレオタイプなアフリカのイメージをいったん忘れてみて下さい。私は、ステレオタイプは、必ずしも真実を反映してはいなくても、一定の価値はあると思っています。そういうイメージが定着するには、それなりの時間や情報量や経験が費やされ、蓄積されたはずですから。しかし同時に、一側面だけから導かれる結論には危険が伴います。やはり、事実に基づく考察が必要です。

例えば、アフリカの新生児の平均寿命は65歳。北アフリカに限れば、世界平均の72歳を上回っています。北欧の先進国スウェーデンより速いペースで乳幼児の死亡率を改善しました。首都には高層ビルが建ち並び、そこに住む人々は皆スマートフォンを持ち、移動の際にはアプリでタクシーを予約する。意外に思われるかもしれませんが、これも実際のアフリカの姿です。もちろん、アフリカの中でも格差は大きく、まだまだ困難が多いのも事実です。

データで見るアフリカの今

私の手元に、「African Statistical Yearbook 2020」という分厚い資料があります。これは、国連アフリカ経済委員会（ＵＮＥＣＡ）、アフリカ開発銀行（ＡｆＤＢ）及びアフリカ連合委員会（ＡＵＣ）の3者の共同発行物で、「２０２０年版のアフリカ統計年鑑」といったところでしょう。この資料のデータから、現在のアフリカの姿を見てみましょう（一部の数値は、最新のものに更新）。ただし、統計がすべてを表すわけではありませんし、内戦やクーデターで混乱している国には、そもそもその年の統計がない場合もあります。それでも、数字は何かを語ってくれます。

まず、国の数です。

国連加盟国数は193なので（2023年3月現在）、アフリカの54ヵ国は全体の28％を占めます。国連で、何か大事な意思決定をする際、アフリカが一致団結して声をあげたら、国連の4分の1以上の数の力を示すことができます。

そして人口です。

2022年のアフリカの人口は約13・6億人で、同年の全世界約78・9億人の17％を占めます（表1）。世界のトップ20には、第7位のナイジェリアをはじめ、エチオピア、エジプト、コンゴ民主共和国がランクイン。世界人口の多くをアフリカとアジアが占めています（表2）。この本の原稿を書いている今も、アフリカはどんどん順位を上げてきていることでしょう。アフリカのトップを独走するナイジェリアの人口は2億人を超えています。続くエチオピア、エジプトも1億人以上です。日本を追い越すのは時間の問題でしょう。ちなみに、アフリカの最下位はセーシェル（200位）で、人口10万人未満、115の小島から成る島国です。他にも、サントメ・プリンシペ（187位）、カーボベルデ（172位）と島国が続きます（表3）。

国連によれば、世界人口の4人に1人がアフリカ系となる2050年の世界人口（97億人）の半分が、8ヵ国に集中するそうです。具体的には、コンゴ（民）、エジプト、エチオピア、ナイジェリア、タンザニア、インド、パキスタン、フィリピンです。このうち5ヵ国がアフリカです。これら8ヵ国の平均人口は、6億人超となる計算です。その一方で、61ヵ国の人口が減少すると言われていますので、世界の人口構成が大きく変わることが予想されます。

表1　世界とアフリカの人口比（2022年）

世界(人)	アフリカ(人)	アフリカの比率
78億8840万8690	13億5654万9020	17%

表2　世界の人口ランキング・トップ20（2022年）

1	中国	11	日本
2	インド	12	エチオピア
3	米国	13	フィリピン
4	インドネシア	14	エジプト
5	パキスタン	15	ベトナム
6	ブラジル	16	コンゴ民主共和国
7	ナイジェリア	17	イラン
8	バングラデシュ	18	トルコ
9	ロシア	19	ドイツ
10	メキシコ	20	タイ

表3　アフリカの人口ランキング（2022年）

1	ナイジェリア	2億134万132
2	エチオピア	1億2028万3030
3	エジプト	1億926万2180
4	コンゴ民主共和国	9589万4120
5	南アフリカ	5939万2250
	(中略)	
50	ジブチ	110万5560
51	コモロ	82万1630
52	カーボベルデ	56万7920
53	サントメ・プリンシペ	22万3110
54	セーシェル	9万9260

表４　アフリカの識字率ランキング・トップ 15（カッコ内は女子）

	2000-2007年(%)		2015-2018年(%)	
1	セーシェル	91.8(92.3)	セーシェル	95.9(96.4)
2	南アフリカ	88.7(87.0)	サントメ・プリンシペ	92.8(89.5)
3	赤道ギニア	88.3(94.8)	ナミビア	91.5(91.4)
4	レソト	86.3(92.0)	モーリシャス	91.3(89.4)
5	リビア	86.1(77.8)	エスワティニ	88.4(88.5)
6	サントメ・プリンシペ	84.9(77.9)	南アフリカ	87.0(86.5)
7	モーリシャス	84.3(80.5)	カーボベルデ	86.8(82.0)
8	エスワティニ	81.7(80.3)	ザンビア	86.7(83.1)
9	ボツワナ	81.3(81.8)	ガボン	84.7(83.4)
10	チュニジア	77.2(68.5)	ケニア	81.5(78.2)
11	ナミビア	76.5(78.4)	アルジェリア	81.4(75.3)
12	カーボベルデ	76.1(69.4)	コンゴ共和国	80.3(82.0)
13	アルジェリア	72.6(63.9)	ガーナ	79.0(74.5)
14	ケニア	72.2(66.9)	タンザニア	77.9(73.1)
15	ウガンダ	71.4(62.1)	カメルーン	77.1(71.6)

次に、教育面を見てみましょう。

識字率の変遷は次の表のとおりです（表４）。今世紀の初頭から今までの10年ほどで改善していることがわかります。女子の識字率も着実に上昇しています。思ったより識字率が高いと驚かれたかもしれません。日本の識字率が99％と言われていますので、セーシェルは男女ともにほぼ日本と同列です。しかも、女子のほうが男子よりも高い数値が示されています。素晴らしい！

また、就学率については、２０１５～18年の平均値で、初等教育は99・９％（女子は99・８％）、中等教育は55・６％です。アフリカのほぼすべての子供たちが小学校に通っているものの、中学校に上がる数は約半分に減っています。ここら辺に、開発を進める上での課題がありそうです。なお、例えば、右の識字率の表の左側（２０００年代初頭）で5位のリビアは、86％以上の識字率を示していますが、表の右側（２０１５～）には出てきません。これは、国内情勢の悪化により、最近の統計が存在していないからです。初等教育の就学率についても、最近の統計は存在しないので、空欄になっていますが、２００１～２００７年の統計には、１０９・０％と高い数値が示されています。１００％を超えているのは不思議に思われるかもしれませんが、これは、就学年齢以外の就学者や、同一学年の繰り返しのケースを含めているからです。政情不安やテロなどの影響で、将来を担う子供たちが教育を受ける機会が失われるのは悲しいですね。なお、この後に、ＣＯＶＩＤ－19のパンデミックが発生していますので、教育機会においても、世界中、特にアフリカは、この影響を大きく受けています。

さらに、マクロ経済を見てみましょう。

２０１９年のアフリカ全体の国内総生産（ＧＤＰ）は、２兆４３０６億ドルです（表５）。２０１１年は2兆２０９９億ドルで、年によって多少のアップダウンはありますが、全体的になだらかな右肩上がりです。国別で見ると、トップ5は、ナイジェリア、南アフリカ、エジプト、アルジェリア、モロッコです。これら5ヵ国のＧＤＰ合計額は、アフリカ全体の57％以上を占めること

表5　アフリカの経済ランキング（2019年GDP、ドル）

アフリカ全体：2兆4306億		
1	ナイジェリア	4481億2000万
2	南アフリカ	3513億5400万
3	エジプト	3023億4600万
4	アルジェリア	1711億6200万
5	モロッコ	1197億100万
トップ5合計の全体に占める割合：57.3%		
50	ガンビア	18億1800万
51	セーシェル	17億200万
52	ギニアビサウ	13億4500万
53	コモロ	11億6600万
54	サントメ・プリンシペ	4億7600万

になります。ナイジェリア1ヵ国だけで18・4％に及びます。逆に最下位はサントメ・プリンシペで、アフリカ全体の0・02％に満たないサイズです。アフリカ大陸内での経済格差がよくわかります。

国民1人あたりのGDPだと、また違った風景が見えてきます（表6）。

国別トップのナイジェリアと、最下位のサントメ・プリンシペの人口比は、1対1000で、これは国別GDPの差とほぼ同じです。事実、1人あたりのGDPはどちらも約2200ドルで同等です。逆に、下から4番目のセーシェルの1人あたりのGDPは、アフリカでダントツの1万7406ドル。世界ランクでもずっと50位台から60位台に留まっています。これは、2013年に欧州連合（EU）への加盟を果た

表6　アフリカの経済ランキング（2019年の1人あたりGDP、ドル）

1	セーシェル	17406
2	モーリシャス	11063
3	赤道ギニア	8120
4	ボツワナ	8018
5	ガボン	7758
	（中略）	
50	マダガスカル	523
51	モザンビーク	500
52	中央アフリカ	447
53	マラウィ	436
54	ブルンジ	299

したクロアチアよりも高いレベルです。

世界経済に、アフリカはどのように位置づけられているのでしょうか。統計を変えて、国際通貨基金（IMF）の２０２０年の世界１９０ヵ国のGDPランキングと、民間企業の調査結果に基づく２０５０年の上位30ヵ国のGDP予測で見てみましょう（表7）。

２０２０年のトップ４ヵ国（米、中、日、独）が、世界全体のGDPの半分以上を占めていることは、よく言われています。残りの約半分足らずを、１８０ヵ国以上で分け合っていることになります。アフリカのトップのナイジェリアは世界第27位。上位50位に入っているのは、他にエジプト（35位）、南アフリカ（42位）のみです。１００位までに16ヵ国。全アフリカ54ヵ国の3割に満たない結果です。逆に、１５０位以下には、アフリカ最下位（１８５位）のサントメ・プリンシペを含め、16ヵ国

表7　世界とアフリカの経済ランキング（GDP、百万ドル）

2000年			2050年予測	
1	米国	22,675,271	1	中国
2	中国	16,642,318	2	インド
3	日本	5,378,136	3	米国
4	ドイツ	4,319,286	4	インドネシア
5	英国	3,124,650	5	ブラジル
			日本は8位	
※トップ4ヵ国（米、中、日、独）が世界のGDPの半分以上を占める！				
27	ナイジェリア	514,049	14	ナイジェリア
35	エジプト	364,284	15	エジプト
42	南アフリカ	329,529	27	南アフリカ
57	アルジェリア	151,459		
59	モロッコ	124,003		
※アフリカはトップ100に16ヵ国、150位に16ヵ国。				
176	コモロ	1309		
178	セーシェル	948		
185	サントメ・プリンシペ	485		
アフリカ合計：2,588,022（世界8位）				

も入っています。経済成長が進んでいるといっても、1ヵ国単位では、まだまだ経済力は小さいと言えますね。では、アフリカ全体を一つの国のように見立てると、GDP合計は2兆5880億ドル。これは、日本の約半分弱、ランキングでは、フランスとイタリアの間の第8位に入ります。経済においても、アフリカが一つにまとまることが、世界で力を発揮する鍵となりそうです。

２０５０年予測だと、日本が3位から8位に後退する中、ナイジェリアが14位、続くエジプトが15位、南アフリカが27位と、大きく順位を上げることになります。

最後に、インターネットやモバイル通信へのアクセスについて見てみましょう。

万国電信連合（ＩＴＵ）という世界最古の国際機関の最新のデータから、アフリカの開発努力が垣間見られます。個人のインターネット接続数は、世界的に飛躍的な成長を遂げました。２００５年の接続数は10億で、世界人口の16％に過ぎなかったのが、２０２１年推計では、49億と約5倍に増えました（表８）。人口あたりでも63％と、４倍の成長です。

欧州やアメリカでは、人口のほとんどがインターネットへのアクセスを有していることがわかります。アジア太平洋では、日本のような高度通信社会とそうでないところの格差が大きいことがわかります。アフリカは33％とかなり低い数値です。人口13億のうち、インターネットに接続できるのは４億人と限定的です。その中でも、若者が40％、都市部では50％を占めます。より手軽なスマートフォンを

表８　インターネット・アクセス（2021 年推計、域内人口における割合）

世界	63%(49億人) ※2005年は16%(10億人)		
欧州	87%		
南北アメリカ	81%		
アジア太平洋	61%		
アフリカ	33%	若者:40%	都市部:50%(地方:15%)

表９　モバイル通信（2021 年推計、域内人口における割合）

世界	4G:88%	3G:7%	
欧州	4G:99%		
南北アメリカ	4G:92%		
アジア太平洋	4G:96%		
アフリカ	4G:49%(都市部88%)	3G:33%	2G:7%

使ったモバイル通信の普及率でもアフリカは出遅れていますが、都市部だけを見ると欧米並みです（表9）。確かに、アフリカの都市では、携帯電話やスマートフォンをいじっている人を多く見かけます。むしろ、世界との差は通信速度にあるようです。この他、通信料の改善や電力供給の安定化といった課題もあります。

2 世界最大級の地域機関「アフリカ連合（AU）」

AUの「A」はアフリカン

50以上の国から成るアフリカが団結して一つになれば、政治的にも経済的にも、大国に匹敵する力を発揮できる可能性を秘めていることは、これまでの説明のとおりです。アフリカは、政治、経済、その他のあらゆる分野で統合を進めてきています。その中心となっているアフリカの地域機関が「アフリカ連合」です。英語では「アフリカン・ユニオン（African Union）」と言い、略して「A

U（エーユー）」です。AUというと、日本では別のものを思い浮かべるかもしれませんが、アフリカの文脈だとアフリカ連合です。私が勤務していたのは、アフリカ連合日本政府代表部。長い名前なので、通常は「AU代表部」と呼んでいます。AUと言われてもピンと来ないかもしれません。多少の誤解を恐れずに「国際連合（国連）や欧州連合（EU）のアフリカ版」だと言えば、ざっくりわかっていただけるでしょうか。全アフリカが加盟する世界最大級の地域機関です。本部は、エチオピアの首都のアディスアベバに所在します。アフリカの機関なので、非アフリカの国はメンバーではありませんが、アフリカと協力関係にある日本を含む多くの国は、オブザーバーの資格（パートナーと呼ぶこともあります）を有しています。そうした国は、AU代表部を置いています。日本や米国などの約10ヵ国は、大使館とは別にAU代表部を置いていますが、ほとんどの国は、大使館が代表部を兼ねています。以下、AUについて、その成り立ちや、アフリカの統合に向けた取り組みなどについて記していきたいと思います。

AU加盟メンバー数は、54＋1＝55

アフリカには54の国があると言いましたが、AUには55のメンバーが加盟しています。55番目は、西サハラです。北アフリカのモロッコとモーリタニアの間にある、大西洋に面した地域で、その地位を巡って係争地となっているところです。AUは、設立時からの正式なメンバーとして認めていますが、日本を含む国際社会の多くは、独立国家（主権国家）として承認していないため、あくまでも54ヵ国及び1地域、合計55メンバーと整理しています。

「アフリカの年」と「アフリカの日」

１９５５年に、インドネシアのバンドンで、アジア・アフリカ会議、通称「バンドン会議」が開催されました。その5年後の１９６０年に、フランスから独立した13ヵ国を含め、計17のアフリカの国が一度に独立を果たしました。この年は「アフリカの年」と呼ばれています。この年に南アフリカを訪れた英国のマクミラン首相は、「変化の風がこの大陸を通じて吹いている。我々がそれを望むかどうかにかかわらず、このナショナリズムの高まりは、政治的な事実である」と述べたそうです。アフリカの独立に向けた空気を敏感に読み取ったのでしょう。この1年前、フランスのドゴール大統領は、フランス共同体加盟地域の独立を認める考えを示して、翌年の１９６０年に第五共和制憲法の関連条項を改正しました。

１９６０年と言えば、ローマ五輪が開催された年です。エチオピアのアベベ・ベキラ選手がマラソンで優勝し、「裸足のアベベ」として世界中に広く知られるようになりました。アベベ選手は、サブサハラ・アフリカ出身として初めて五輪で金メダルを獲得したので、アフリカの年を象徴する出来事だと言えますね。アベベ選手は、続く64年の東京五輪でも2大会連続の金メダルを獲得し、日本でも一躍ヒーローとなりました。

国際社会では、このアフリカの年に、国連の全加盟国が参加する国連総会で、植民地独立付与宣言が採択されました。採択においては、七つの宗主国（米国、英国、フランス、ベルギー、ポルトガル、スペイン、南アフリカ）は棄権しましたが、反対を唱える国はゼロでした。世界はすでに大きなうねりを迎えていました。

アフリカの年から3年後の1963年5月25日、エチオピアのアディスアベバにアフリカ統一機構（Organization of African Unity）」（略して「ＯＡＵ」）が設立されました。この日を記念して、5月25日は「アフリカの日（Africa Day）」と定められました。毎年、この日は、アフリカだけでなく、日本を含む世界各地で祝賀イベントが開催されています。

ＯＡＵからＡＵへ

ＯＡＵは、アフリカ32ヵ国の署名を集めて発足しました。その目的を一言で言えば、「ＯＡＵ加盟国における政治・経済的統合の促進と、アフリカ大陸からの植民地主義、新植民地主義の撲滅」です。植民地支配から独立したアフリカでは、アフリカの統合をどのように進めていくか、大議論が起こります。大きくは、統合を一気に実現することを目指す急進派グループ（カサブランカ・グループ）と、より緩やかな連合体を追求するグループ（モンロビア・グループ）に二分されました。

前者は、アルジェリア、エジプト、ガーナ、ギニア、リビア、マリ、モロッコ、の7ヵ国が中心となって、最初の会合を1961年にモロッコのカサブランカで開催しました。そこには、エジプトのナセル大統領、ガーナのエンクルマ大統領といった著名な政治家がいました。後者は、リベリア、エチオピア、ナイジェリア、セネガル、カメルーンが中心となって、同年に、リベリアのモンロビアで最初の会合を開催しました。中でも、エチオピアのハイレセラシエ皇帝、セネガルのサンゴー大統領といった署名人の参加は注目されました。

これら二つのグループの結成以前に、元仏領のコートジボワール、セネガル、コンゴなどが、ブラザビル・グループと呼ばれる別のグループを形成していたのですが、そのうちに前述の二つのグループに吸収されていきました。

エチオピアのハイレセラシエ皇帝は、これら二つのグループをアディスアベバに招待して仲介を行いました。そして、この地にOAUが誕生することになったのです。最初のOAU総会の開会演説で、皇帝は、「この統一の会合が1000年続くことを願う」と述べました。時代は東西冷戦期。まだまだ多くの困難を抱えながら、アフリカは独立への戦いと、その後の国造りに奮闘していました。やがて、ベルリンの壁が崩壊し、さらに21世紀を迎え、アフリカは、新たな統合に向けて大きく舵を切り始めました。そして、アフリカの問題はアフリカ自身で解決することを宣言し、OAUを発展改組する形で2002年、「アフリカ連合（AU）」が設立されました（図1〜6）。

図 1　アフリカ連合（AU）本部

図 2
AU 本部にあるハイレセラシエ
1 世の銅像

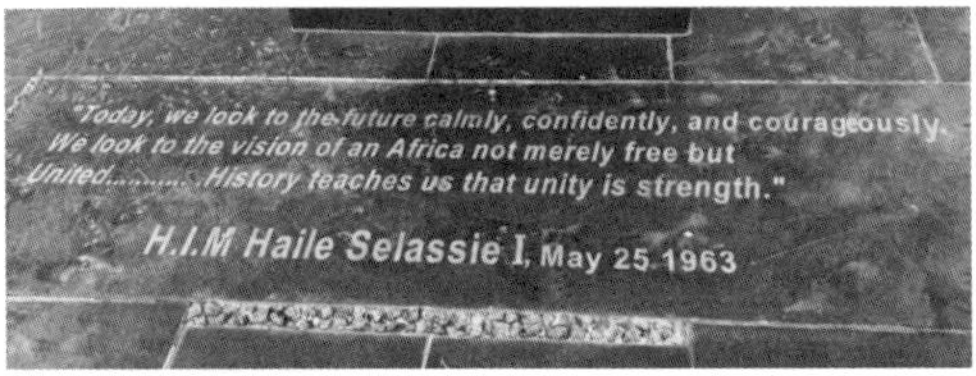

図 3　足元の碑文
「本日、我々は、静かに、自信を持って、勇気を持って未来に目を向けよう。単に自由だけではなく、統合したアフリカのビジョンに目を向けよう。統合は力であることを歴史は教えてくれる」と書かれている。

統合して世界で勝負する

ＡＵは、設立後、様々な課題に対応しながらアフリカの統合を進めてきました。その間、数多くの会議が開催され、多数の決議文書、政策文書等が採択されてきました。しかしながら、スタッフの不足、能力向上の必要性、予算の自立性の欠如（多くの活動資金がアフリカ以外からの支援）、加盟国の国内情勢などによる困難もあって、ＡＵの効果的な運営や政策の実施は十分にできていません。ＡＵの機構改革が叫ばれて、試行錯誤が行われてきました。２０２１年2月のＡＵ総会（首

図４　AU 本部内部の大会議場

図５　AU 総会の様子

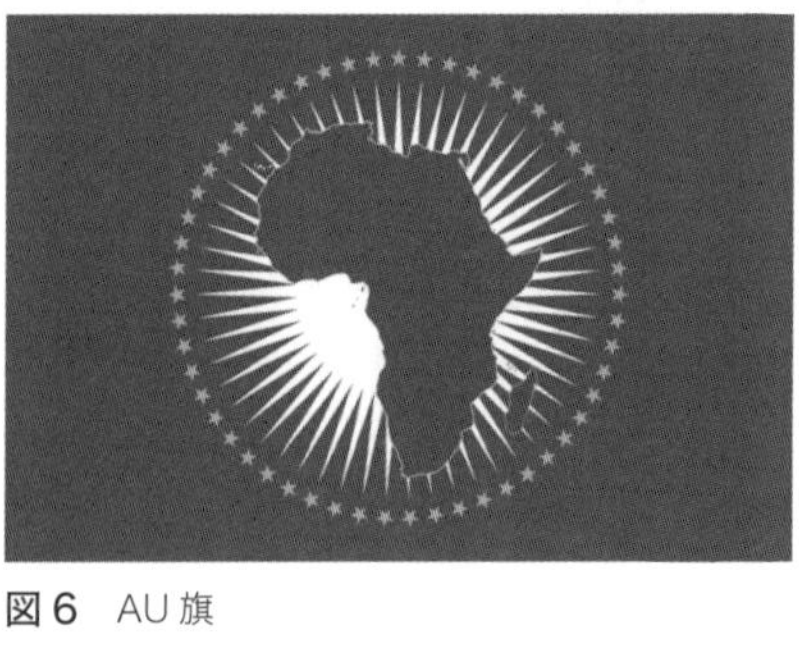

図６　AU 旗

脳級の最高意思決定機関）において、AU委員会（事務局）の機構改革が行われました。また、アフリカ内貿易を促進するために、同年1月から大陸規模の自由貿易圏の運用が開始されました。まだまだ困難は伴うものの、AUは前を向いてアフリカの統合、そして繁栄を目指しています。AUは、単にOAUから「O」を落としただけではないのです。AU委員会の初代委員長を務めたコナレ元マリ大統領の言葉が、アフリカの総意を表しています。

「アフリカは、統合することで真価を発揮する。統合すれば、米国、欧州、アジアにも匹敵する力を持つ。誰からも打ち破られることはない。そのため、アフリカの分裂は絶対に避けなければならない。」

アジェンダ2063——次なる半世紀を見据えた統合計画

AUは、その前身であったOAU設立の1963年から半世紀経った2013年に、次の50年間、すなわち2063年までに達成するべきアフリカの長期目標となる「アジェンダ2063」を策定しました（図7）。この計画は、その2年後の2015年1月末の第24回AU総会で、全出席のアフリカ首脳によって採択されました。ここで採択された半世紀目標には副題が付いています。それは「Africa We Want」で、アフリカが望む自分たちの未来像への思いが込められています。2020年2月に、このアジェンダの実施に関する第1回報告書が提出されました。以後、2

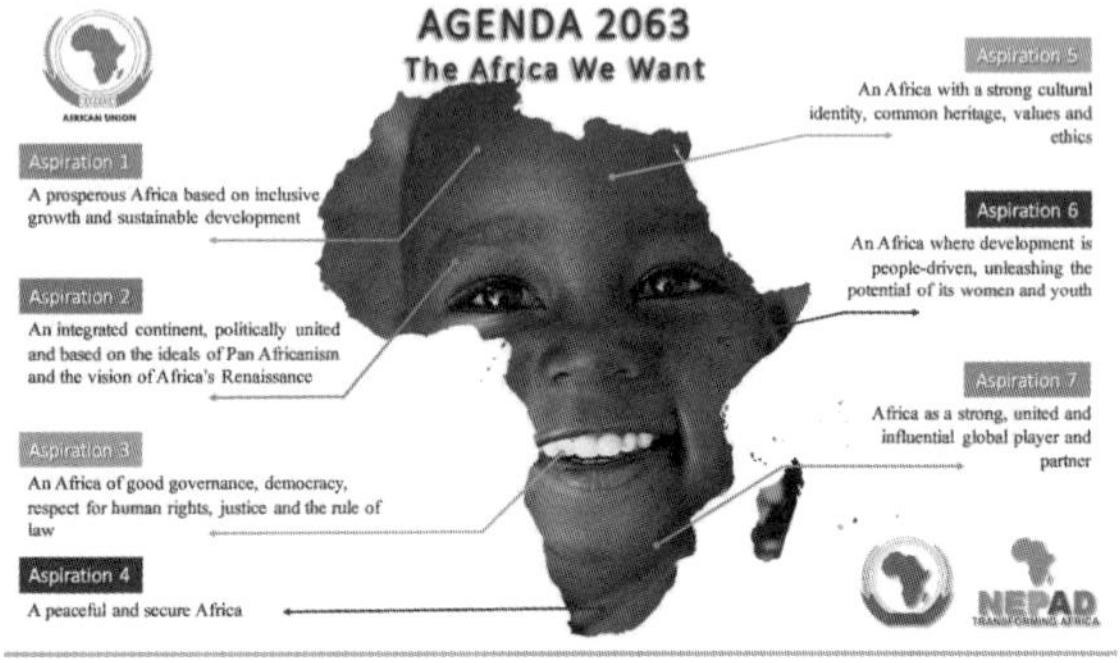

図7 アジェンダ2063

年に一度のペースで進捗状況が報告されることになりました。また、このアジェンダは半世紀にも及ぶ長期的な統合計画なので、最初の10年間に達成するべき中期目標が定められています。２０６３年は、ＯＡＵ設立からちょうど1世紀に当たります。アフリカが植民地支配から脱却し、統合を目指して自ら目標を立てて実行し、どのような「望む姿」になっていることでしょう。

七つの願望

アジェンダ２０６３の中身は、貧困撲滅をはじめとする経済開発を通じてアフリカの統合を目指すものですが、「アフリカ合衆国」の創設を含む政治統合や、民主主義、人権、正義といった価値の促進、それに大陸全体の平和と安全といった要素も含まれています。「アフリカ合衆国」とは聞き慣れない言葉かもしれませんが、タイプミスではありません。さらには、「アフリカのルネサンス」と「汎アフリカ主義」の理想を通じた文化的なアイデンティティの確立、ジェンダー平等、外国の権力からの政治的独立といった大目標が掲げられています。これらたくさんの目標を7本柱にまとめたものを、「AUの七つの願望（aspirations）」と呼びます。具体的には次のとおりです。

①　包括的成長と持続可能な開発に基礎を置く繁栄するアフリカ
②　政治的に統一され、汎アフリカ主義の考えとアフリカのルネサンスのビジョンに基礎を置く統合された大陸
③　良い統治（グッドガバナンス）、民主主義、人権の尊重、正義及び法の支配のアフリカ
④　平和で安全なアフリカ
⑤　文化的アイデンティティ、共通の遺産、価値、倫理を有するアフリカ
⑥　人間中心の、及び、特に女性と若者そして子供を気遣うアフリカ人の潜在能力に依存した開発を進めるアフリカ
⑦　強力で、統一され、強靭で影響力のあるグローバルな主体であり、パートナーとしてのアフリカ

15の旗艦プロジェクト

こうした願望を実現するためには、具体的なプロジェクトに落とし込んで、それを実現する必要があります。アジェンダ2063には、たくさんの実施計画が含まれていますが、その中でも特に

重要とされるものが15の「Flagship Projects（旗艦プロジェクト）」として次のとおり整理されています。なお、15のプロジェクトを見ていくと、総論的なものもあれば、ピンポイントに個別の案件が書かれているのもあります。そのときの議論の中の力学で決まっていったのかなあ、と想像したりもしますが、整理の仕方にはバラツキがあると個人的には思います。実施がすでに始まったプロジェクトも一部あります。

①　統合された高速鉄道網
②　アフリカ一次産品戦略の策定
③　アフリカ大陸自由貿易圏（ＡｆＣＦＴＡ）の創設
④　アフリカ・パスポートと人の自由な移動
⑤　２０２０年までの紛争停止
⑥　大インガ・ダム計画の実施
⑦　アフリカの単一航空輸送市場（ＳＡＡＴＭ）の創設
⑧　年間アフリカ経済フォーラムの創設
⑨　アフリカ金融機関の創設（アフリカ投資銀行、汎アフリカ証券取引所、アフリカ通貨基金、アフリカ中央銀行）

⑩ 汎アフリカ・Eネットワーク
⑪ アフリカ宇宙空間戦略
⑫ アフリカ・バーチャルE大学
⑬ サイバーセキュリティ
⑭ 大アフリカ博物館
⑮ アフリカ百科事典

国連開発目標（SDGs）との関連性

ところで、国連が定めるポスト2015開発アジェンダや、2030年に向けた持続可能な開発目標（SDGs）（図8）との関連性はどうなっているのか、と疑問を持つ方もいるかもしれません。それぞれの詳細を読めば、双方の関連性が非常に強いものであることをご理解いただけると思います。開発、平和安全保障、民主主義といったグローバルな課題の多くにアフリカが関わっています。SDGsとその前身のMDGs（ミレニアム開発目標）を定めるに当たっては、国連全加盟国の4分の1以上を占めるアフリカの立場が強く反映されているはずですから、両者が両立することは言うまでもありません。国連関係者によれば、SDGsはアジェンダ2063の要素を含む、より包括的な開発目標ということでした。一方、AU

の関係者は、アジェンダ2063のほうが長期的視野に立つ開発目標であり、SDGsを内包するものだ、と胸を張って答えてくれました。どちらが偉いか、という問題ではありませんが、AUの人の発言の中には、汎アフリカ主義を彷彿とさせるプライドが感じられます。

図8　SDGs

AUの年間テーマの変遷に見る戦略的取り組み

AUは毎年、その年に特に力を入れて取り組む分野について、年間テーマ（annual theme）を定めています。過去約10年間のテーマは次のとおりです。

・2012年　アフリカ内貿易の促進
・2013年　汎アフリカ主義とアフリカのルネサンス
・2014年　包摂的成長と持続可能な開発のための機会の連携を通じた、共有された繁栄と生計の向上のための、アフリカの農業の転換

・2015年　アフリカのアジェンダ2063に向けた、女性強化(エンパワーメント)の1年
・2016年　女性の権利に特に焦点を当てた、アフリカ人権年
・2017年　若者への投資を通じた、人口増との連携
・2018年　汚職との戦いでの勝利――アフリカの転換における持続可能な道程
・2019年　難民、帰還民及び国内避難民――アフリカにおける強制移住に対する持続的解決策に向けて
・2020年　紛争停止――アフリカの開発のための効果的条件の創設
・2021年　芸術、文化、遺産――我々が望むアフリカを構築するための梃子
・2022年　アフリカ大陸における栄養についての強靭性の強化及び食料安全保障――人的、社会的及び経済的な資産の開発の促進のための農業食料体制、保健及び社会保護システムの強化

まず気がつくのは、女性と若者のエンパワーメントの重視です。開発や経済成長を持続するためには、将来を担う若者や、これまでその分野において必ずしも正当な評価がなされてこなかった女性をしっかりと社会のメカニズムに組み込んで、その能力を最大限に引き出すことが重要です。多くの若い人口を有するアフリカ、そしてその人口の約半分を占める女性の活躍が促進されれば、ア

フリカの未来は間違いなく明るいでしょう。

その一方で、アフリカの負の部分にも焦点が当てられています。紛争、避難民、人権、汚職。現在の問題としての対応と、将来の再発に向けた予防です。

また、アフリカ内貿易の促進や、農業の転換にも焦点が当てられています。貿易・投資の促進や農業の産業化を大陸規模で実施することで、アフリカの経済統合が進んでいきます。

では、2020年以降の最近のテーマを個別に見ていくことにしましょう。副題を見ると、たくさんのメッセージが込められていることがわかりますね。

うるさい銃（武器）を黙らせろ

2019年のテーマが、難民などの、紛争による被害を受けた人々を対象としたものであったのに対して、その直接的原因となった紛争そのものに焦点を当てたのが、2020年のテーマ「紛争停止」です。英語では、「Silencing the Guns（銃（武器）を黙らせる）」となっています。日本は、この分野でも様々な協力を行ってきていますが、特に、紛争の根本原因(root causes)に光を当てて、若者の過激化を防止する教育支援を、このテーマの年に合わせて開始しました。

AUのアジェンダ2063にある15の旗艦プロジェクトの5番目（2020年までに、すべての戦争、内戦、ジェンダーに基づく暴力、暴力的紛争の終結）がまさにこれです。それに沿う形で、この年間テーマは、当初は「2020年までの(by 2020)」紛争停止、となっていました。しかしながら、これは非常に大きなテーマであることから、2030年までの10年間を通じた長期的テーマとして、AUが引き続き力点を置いて取り組んでいくことになりました。

ポップに見せて実はヘビー級のテーマ

2021年のテーマ「芸術、文化、遺産」は、これまでのAUの戦略に照らすと、少し異質な感じがするかもしれません。比較的ポップな響きがしませんか?

しかし、これぞ汎アフリカ主義、アフリカのルネサンスの本質を突くテーマだと思います。アジェンダ2063の七つの願望の5番目(文化的アイデンティティ、共通の遺産、価値、倫理を有するアフリカ)、そして旗艦プロジェクトの14番目(大アフリカ博物館の創設――アフリカの文化遺産の保全と汎アフリカ主義の促進)と15番目(アフリカ百科事典の編纂――アフリカ及びアフリカ人の生活の正統な歴史に関する権威ある資源)に関わるものです。大博物館は、アルジェリアの首都アルジェに建設されることが決まりました。欧州を中心に、植民地時代に大陸外に渡った美術品のアフリカ各国への返還も始まっています。

副題には、文化が「アフリカ人が望むアフリカ」を構築する梃子であることが明記されています。このテーマが定められた背景について、AU委員会やアフリカの外交団に聞いてみたところ、次の説明がなされました。

「アフリカの歴史と文化について、アフリカと世界が再認識する機会です。アフリカの文化や歴史は、世界の主流ではなく周辺化されています。このテーマに取り組むことによって、人類の誕生から今日まで、アフリカが、常に世界の歴史の主流の一つとして存在したことを再確認することになります。またそれが、将来を担うアフリカの若者たちの自信にもつながるでしょう。」

加えて、興味深い発言もありました。

「紛争の解決方法は、地域社会にすでに備わっている、伝統的な解決方法を活用することも有効な手段だと考えます。」

純粋な音楽や文化の促進ということだけではなく、アフリカのアイデンティティの再確認のための非常に大きく、重厚なテーマであることがわかるでしょう。

国際的な混乱も予言？

2022年のテーマは、「栄養と食料安全保障」です。正確には「アフリカ大陸における栄養についての強靭性の強化及び食料安全保障」という長いタイトルです。「強靭性《きょうじんせい》」というのは難しい言葉ですが、圧力を跳ね返す力を意味します。「レジリエンス」というカタカナが当てられることもあります。

このテーマには「人的、社会的及び経済的な資産の開発の促進のための農業食料体制、保健及び社会保護システムの強化」という、これも長い副題が付いています。アフリカにとって非常に重要な課題です。アフリカと言えば、貧困、そして飢餓を思い浮かべるかもしれません。栄養の問題は、そのイメージのとおりの「栄養失調」による健康・発達障害がありますが、これは問題の一側面でしかありません。世界中で栄養過多による、いわゆる肥満の問題が深刻化しています。アフリカも例外ではありません。したがって、以前は「栄養失調」と訳されていた英語の「malnutrition」は、今では「栄養不良」と訳すようになりました。

２０２０年に始まったパンデミックによって、世界のバリューチェーンが混乱・停滞し、アフリカの食料事情も大打撃を受けました。そこに追い打ちをかけるかのように、ウクライナ情勢の悪化に伴って食料品・原材料を含む物価の上昇がアフリカを襲いました。アフリカの多くの国が、ロシアとウクライナから小麦を輸入しています。またエネルギー危機は、すべての物価を押し上げます。加えて、気候変動により、農作物の収穫に影響が出ます。２０２２年のこのテーマは、まさに今日アフリカと国際社会が直面する課題を言い表したものと言えるでしょう。

アフリカ人の文化に対する熱い想い

２０２１年のＡＵ年間テーマである「芸術、文化、遺産」のテーマにちなんで、アフリカの著名な文化人たちがＡＵのサイトにメッセージを寄せています。いずれも心を打つ名言ばかりですので、ご紹介します。

文化が人をつくるのではない。人が文化をつくるのだ。

（ナイジェリアの作家　チママンダ・ンゴズィ・アディーチェ）

音楽を愛するあなたは、扉を開く一人でなければならない。誰もが自由に歩くことができる橋をかける一人にならなければならない。私は、それが私の任務だということを知っている。

（ベナンのシンガーソングライター　アンジェリーク・キジョー）

我々が歴史をつくることができるのは、語り部が、生存者の記憶をつくり出すからである。さもなくば、生存することの意味がなくなってしまう。

（ナイジェリアの小説家　チヌア・アチェベ）

私が人生のここにいるのは、私が世界に何かをもたらしたからではなく、何かを見つけたからである。それは、アフリカの文化という富である。

（南アフリカのトランペット奏者　ヒュー・マセケラ）

アフリカの音楽にはしばしばメッセージが含まれる。セネガル及びアフリカの音楽は、音楽のための音楽や、単なるエンターテインメントではない。音楽は、常に、社会の連結、議論そしてアイデアの牽引力である。

（セネガルの歌手　ユッスー・ンドゥール）

私は自分の文化を維持した。自分のルーツの音楽を維持した。自分の音楽を通じ、私はアフリカとアフリカ人の声とイメージになった。

（南アフリカの歌手　ミリアム・マケバ）

私は自分をアフリカと共に位置づけることで、自分はアイデンティティを持つことになる。

（ナイジェリアの音楽家　フェラ・クティ）

アフリカ内地域の統合 ――レックスとは

アフリカの統合の議論でよく出くわすのが、大陸、地域、国の3層構造です。大陸全体をまとめるアフリカ連合（AU）と、その加盟国（member states）の中間に、地域（regions）があります。世界全体から見れば、アフリカも一つの地域なので、大陸内の地域を準地域（sub-regions）と表現することもありますが、便宜上、ここでは地域とします。アフリカの統合に向けた努力は、この3層をうまく連動させて前進させることに尽きると言ってもよいでしょう。そこで重要な働きをするのが、（準）地域レベルの取り組みです。

アフリカの地域機関のことを「地域経済共同体」と言います。英語では、「Regional Economic Communities」と言い、略して「RECs」と表記します（「レックス」と発音します）。AUは、大陸内に八つのRECsを認定しています。具体的には、AMU、COMESA、CEN-SAD、EAC、ECCAS、ECOWAS、IGAD、SADCです。アルファベットが並んでわかりにくいと思うので、それぞれ簡単に紹介します。

・**AMU：Arab Maghreb Union（アラブ・マグレブ連合）**

○本部　：ラバト（モロッコ）

○加盟国：アルジェリア、リビア、モーリタニア、モロッコ、チュニジア

（仏語（とアラビア語）を公用語とする国が多いマグレブ諸国で創設された機関なので、仏語式にＵＭＡと書かれることもあります。最近は活動が見られず、事実上の休眠中。）

・ＣＯＭＥＳＡ：Common Market for Eastern and Southern Africa（東南部アフリカ市場共同体）

○本部　：ルサカ（ザンビア）
○加盟国：ブルンジ、コモロ、コンゴ（民）、ジブチ、エジプト、エリトリア、エチオピア、ケニア、リビア、マダガスカル、マラウイ、モーリシャス、ルワンダ、セーシェル、スーダン、エスワティニ、ソマリア、チュニジア、ウガンダ、ザンビア、ジブチ、ジンバブエ

（ジブチの最高級ホテル「ケンピンスキー」は、２００６年にジブチで第11回ＣＯＭＥＳＡ首脳会議を開催するのに合わせて、わずか10ヵ月で建築され、「ジブチの奇跡」と呼ばれています。首脳会議に出席する首脳たちが滞在するにふさわしいグレードのホテルを、とのゲレ・ジブチ大領の呼びかけに、アラブ首長国連邦（ＵＡＥ）のナキール社が発注を請負い、建設業者を募りました。極端に短い工期にどこも尻込みする中、これに応えたのが日本の大成建設。急ピッチで工事を進め、奇跡を実現したことはご存知でしたか？）

・ＣＥＮ－ＳＡＤ：**Community of Sahel-Saharan States（サヘル・サハラ諸国国家共同体）**

〇本部　：トリポリ（リビア）

〇加盟国：ベナン、ブルキナファソ、カーボベルデ、中央アフリカ、チャド、コモロ、コートジボワール、ジブチ、エジプト、エリトリア、ガンビア、ガーナ、ギニア、ギニアビサウ、ケニア、リベリア、リビア、マリ、モーリタニア、モロッコ、ニジェール、ナイジェリア、サントメ・プリンシペ、セネガル、シエラレオネ、ソマリア、スーダン、トーゴ、チュニジア

（本部のあるリビアが政情不安であることも影響してか、最近の活動はほとんど知られていません。）

・ＥＡＣ：**East African Community（東アフリカ共同体）**

〇本部　：アルーシャ（タンザニア）

〇加盟国：ブルンジ、ケニア、ルワンダ、ウガンダ、タンザニア、南スーダン、コンゴ（民）

（地域的近接性や加盟国が少ないことからも、まとまりやすく、ＲＥＣｓの中では域内統合が割と進んでいます。コンゴ(民)が２０２２年に加盟したことで、ＥＡＣの域内人口は3億人となって、大きな市場となりました。コンゴ（民）は、ＡＵの地域割りでは中部に属しますが、後述する南部アフリカのＲＥＣｓであるＳＡＤＣにも加盟して

います。東部・中部・南部の経済連携に一役買うことになりそうです。）

・ECCAS：Economic Community of Central African States（中部アフリカ諸国経済共同体）

○本部　：リーブルビル（ガボン）

○加盟国：アンゴラ、ブルンジ、カメルーン、中央アフリカ、チャド、コンゴ（共）、コンゴ（民）、赤道ギニア、ガボン、ルワンダ、サントメ・プリンシペ

（議長を務めていたデビー・チャド大統領が２０２１年に死去してからは、動きがみられません。）

・ECOWAS：Economic Community of West African States（西アフリカ諸国経済共同体）

○本部　：アブジャ（ナイジェリア）

○加盟国：ベナン、ブルキナファソ、カーボベルデ、コートジボワール、ガンビア、ガーナ、ギニア、ギニアビサウ、リベリア、マリ、ニジェール、ナイジェリア、セネガル、シエラレオネ、トーゴ

（最も活動が活発かつ域内統合が進んでいるRECsの一つ。仏語圏が多いので、「エコワス」よりも仏語読みの「セデアオ」（CEDEAO）をよく耳にします。）

・ＩＧＡＤ：Intergovernmental Authority on Development（政府間開発機構）

○本部　：ジブチ（ジブチ）

○加盟国：ジブチ、エリトリア、エチオピア、ケニア、ソマリア、スーダン、南スーダン、ウガンダ

（域内の問題解決に中心的役割を果たすことが多い。加盟国のうち、エリトリアは協力を停止する旨を宣言し、休止状態。復帰についての議論もあるようです。発足時は「ＩＧＡＤＤ」とＤが二つありました。二つ目のＤは、drought（干ばつ）の頭文字でした。干ばつの被害は今でもこの地域の懸案の一つです。）

・ＳＡＤＣ：Southern African Development Community（南部アフリカ開発共同体）

○本部　：ハボロネ（ボツワナ）

○加盟国：アンゴラ、ボツワナ、コンゴ(民)、コモロ、レソト、マダガスカル、マラウイ、モーリシャス、モザンビーク、ナミビア、セーシェル、南アフリカ、エスワティニ、タンザニア、ザンビア、ジンバブエ

（ＥＣＯＷＡＳと並び、最も活動が活発かつ域内統合が進んでいるＲＥＣｓの一つ。南アの経済力が、経済統合の牽引力として大きく貢献しています。）

5か8かの整理学は決着がつかず引き分けに

さて、アフリカの政治やAUに関わった方なら、こう思うのではないでしょうか？

「AUは、大陸を東・西・南・北・中部の5地域に分けているにもかかわらず、RECsは八つ。5地域と八つのRECsはどういう関係なのだろうか？」

ごもっともな指摘です。AUはかつて、RECsを地域割りに合わせて五つに絞り込むことを真剣に検討したことがありました。しかしながら、既存の枠組みを修正するのは容易ではないことがわかったのです。そもそも八つのRECs以外にも地域機関は存在します。その中で、RECsとして認める八つを上限として、これ以上増やさない、ということに決めたのです。それぞれの機関への加盟国も重複したりして、かなり複雑な構成となっているので、整理するのは簡単ではないことがわかるでしょう（図9・10）。

ところで、アフリカ以外の世界に散らばったアフリカ系の居住者（ディアスポラ）が大勢います。彼らの多くは資金力があって世界中にネットワークを構築しています。そして時には政治力も行使することがあります。AUは、五つの地域に加えて、ディアスポラをひとまとめにして6番目の地域と呼んでいます。

RMs（RECsに入らない地域機関）

RECs以外の地域機関を総称して「Regional Mechanisms（RMs）」と呼びます。しばしばRECsと合わせてRECs／RMsと表記されることがあります。RMsは、例えば「西アフリカ諸国中央銀行（La Banque Centrale des États de l'Afrique de l'Ouest）」で、通常「BCEAO（べ

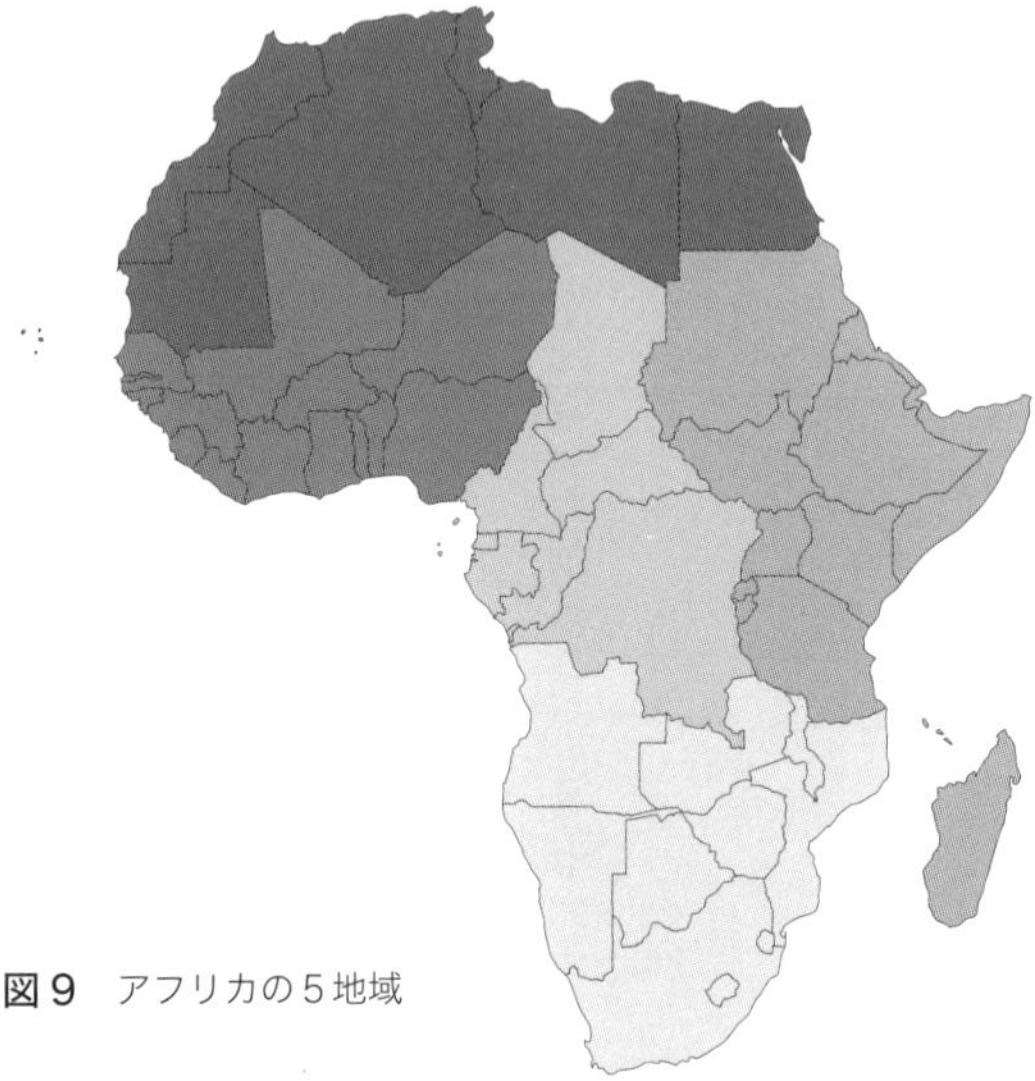

図9　アフリカの５地域

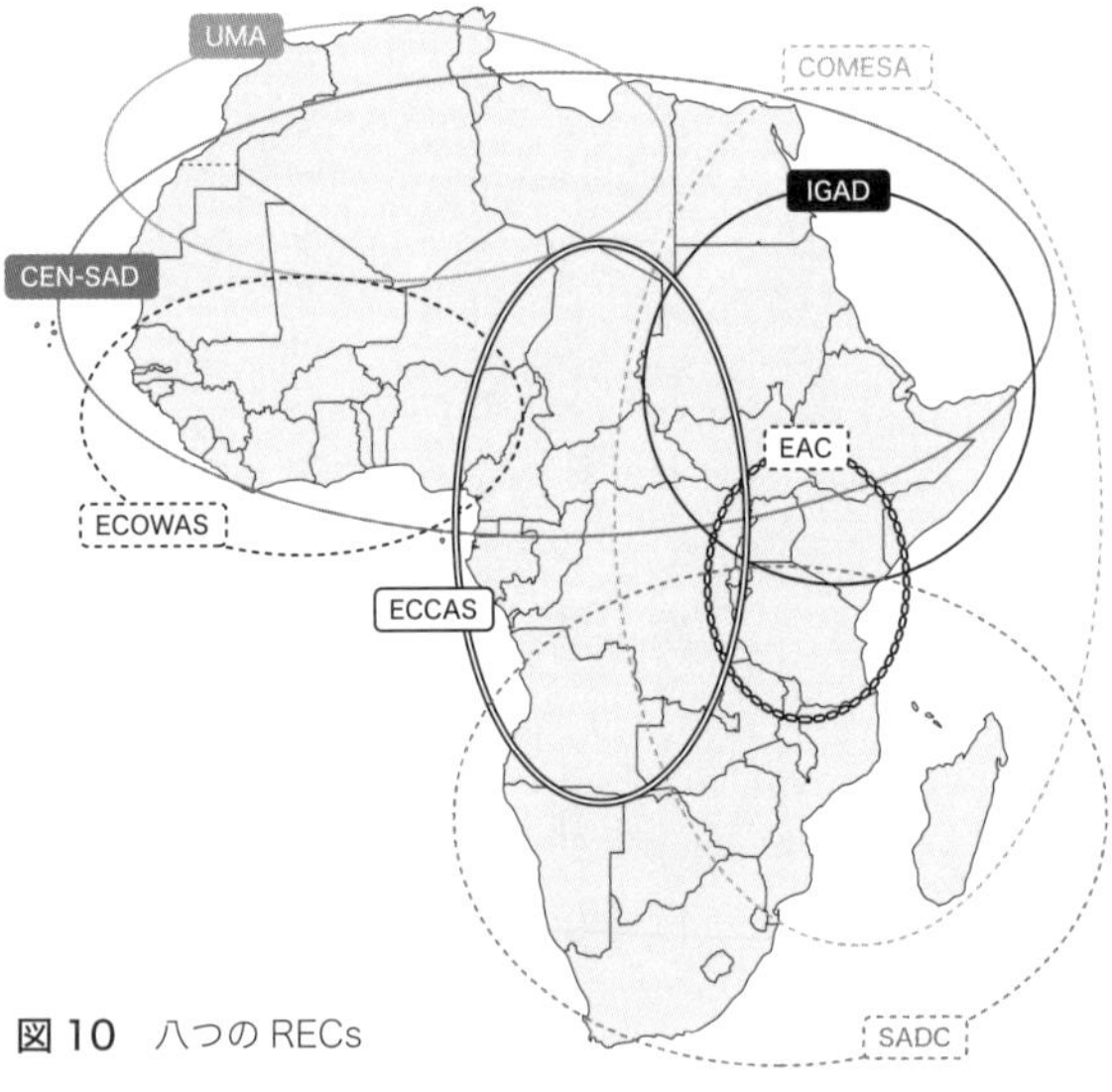

図10　八つの RECs

セアオ)」と呼ばれます。ECOWAS加盟15ヵ国の中の八つ(すべて仏語圏)が加盟しています(注)。本部はダカール（セネガル）。域内の共通通貨である「西アフリカCFAフラン」を発行する機関です。この西アフリカCFAフラン圏の経済通貨統合を促進する地域機関が「西アフリカ経済通貨同盟(Union Economique et Monétaire Ouest Africaine)」で「UEMOA(ウエモア)」と呼ばれ、同じ8ヵ国が加盟。本部はワガドゥグ（ブルキナファソ）です。

また、南部アフリカのSADC加盟国の中の南ア、ナミビア、レソト、エスワティニの4ヵ国は「南部アフリカ関税同盟(Southern African Customs Union)」を形成しています。本部はウィントフック（ナミビア）。ちなみに、略して「SACU（サク）」と呼びます。このように様々なRMsがあります。私が知らないものもあるはずです。

(注) ベナン、ブルキナファソ、コートジボワール、ギニアビサウ、マリ、ニジェール、セネガル、トーゴ

AUとの役割分担が重大なカギ

アフリカの統合を進める上で、大陸（AU)、地域（RECs)、国の3層構造を捉える際には、それぞれの関係、特に、AUとRECsがうまく役割分担して連携する必要があります。AUの統合を促進するために必要な機構改革の議論の中で、AUとRECsの作業分担（division of labour）は重要課題となっています。当初の予定では、2022年2月にはAU関係機関の作業分担がすべて

整理されているはずでしたが、残念ながら、具体的な進捗があると言える状況には至りませんでした。

それが難しい一つの理由は、ＲＥＣｓ間で統合の度合いが異なる点です。地域統合の度合いを計るために、八つの基準から成る「多元的地域統合指標（multi-dimensional regional integration index）」というものがあります。その基準とは、①人の移動の自由、②社会、③貿易、④金融、⑤通貨、⑥インフラ、⑦環境、⑧政治制度、です。ＲＥＣｓの中での統合の進捗度は、ＥＣＯＷＡＳが総合的にトップを走っています。例えば、移動の自由では、地域内共通のパスポートと査証（ＶＩＳＡ）免除があり、社会統合では、居住と設立の自由が認められています。貿易では、域内の自由貿易協定があります。通貨統合も、加盟15ヵ国のうち８ヵ国については以前から行われていて、現在は、ＥＣＯＷＡＳ共通通貨の導入に向けた議論も行われてます。つまり、統合が進んだＥＣＯＷＡＳと、そうでもないＲＥＣｓを同列に並べてＡＵとの作業分担を調整する、といっても無理な話なのです。

もう一つの難点として、ＡＵが権限をどこまで放棄できるか、という疑問があります。多くの権限をＲＥＣｓに委譲すると、「ＡＵはシンクタンクになってしまわないか？」といったことを言う人もいます。それは大げさだとしても、ＡＵが、全体調整とＲＥＣｓへの支援に終始してしまうような存在になることを、ＡＵ委員会（ＡＵＣ）は許さないでしょう。どんな組織にもあるような組織間の権限争いに決着がつかない場合には、最終的にはそれを裁定する上位機関があって、そこが裁定を下すことになります。しかし、ＡＵにはいったいそれがあるでしょうか？

アフリカ通への一歩

アフリカに初めて誕生した国連機関

図11　アフリカ・ホールで改修実行委員たちが改修前に最後の記念撮影

国連アフリカ経済委員会（United Nations Economic Commission for Africa：ＵＮＥＣＡ）という国連機関をご存知でしょうか？

アフリカ連合（ＡＵ）本部が所在するエチオピアのアディスアベバに、ＵＮＥＣＡの本部があります。ＵＮＥＣＡを含む複数の国連関係のオフィスが入った国連施設が市内中心部の広大な敷地にあります。

２０２２年10月14日、この国連ビルのアフリカ・ホールと呼ばれる会議場の改修に向けた起工式が執り行われました。私も日本を代表して出席しました。国連、ＡＵ、エチオピア、そして改修に関わる実行委員会の代表者が挨拶をして、グループ・ツアーでアフリカ・ホール（図11）を見学しました。UNECAには20のビルがあり、そのうちの一番古い部分がアフリカ・ホールの所在地です。1958年、アフリカで初めて設置された国連機関がUNECAです。そして、3年後の1961年に、アフリカ・ホールが建設されました。

完成に際し、エチオピアのハイレセラシエ皇帝は、スピーチで次のように述べました。「数年前まで、アフリカの問題に関する会合はアフリカの外で行われていた。そして、アフリカの人々の運命は、アフリカ人以外によって決定されてきた。（中略）そして今、アフリカの人々は、ついに、自身の問題と未来を議論することができる。」

さらに2年後の1963年、AUの前身たるアフリカ統一機構（OAU）設立のための条約がここで署名されました。このホールは、アフリカ統合の象徴的な存在です。これから2年をかけ、5700万ドルの工事費を費やして、改修が行われます。このアフリカ初の国連ビルには、当時他のアフリカの会議場にはなかった同時通訳設備もありました。このレトロな味わいのある施設がなくなるのは少しさみしい気がしますが、これらがどのような最新設備に生まれ変わるのか、大変楽しみです。

図 12　UNECA 内にあるアフリカの今と未来を描くステンドグラス

図 13
アフリカの過去を描くステンドグラス
奴隷と共に死神が描かれている

3 アフリカ外交の首都
――「新しい花」という名の首都の今昔物語

AU本部は富士山の高さにある？

ＡＵの本部が置かれているエチオピアの首都アディスアベバは、標高約２４００メートルの高地にあります。ちょうど富士山の５合目から６合目あたりの高さになります。人口は、２０２０年で約４８０万人。福岡県とほぼ同格の大都市です。戦後の１９５０年には40万人に満たなかったので、半世紀で大発展を遂げたことがわかるでしょう。人口増加率はここ数年で４％強と高成長。国連は、アディスアベバの人口は、すぐに５００万人を突破し、２０３５年には９００万人に迫ると予測しています。

アフリカはどこも都市化が進んでいます。また人口動態においても世界トップクラスの成長率を続けているので、この趨勢は驚くことではないでしょう。また、国連アフリカ経済委員会（ＵＮＥＣＡ）の本部もあり、これに関連する国連機関や国際ＮＧＯのオフィスも多数置かれています。そのため、世界の多くの国の大使館が所在し、その数はざっと１３０もあります。世界有数の外交の中心都市である事実、ご存知でしたか？

　これが、アディスアベバが「アフリカ外交の首都」と呼ばれる所以です。アディスアベバとは、エチオピアの公用語のアムハラ語で「新しい花」を意味します。その由来をこれから紹介します。

図 14・15　アディスアベバの街並み

図 16　交通渋滞はしょっちゅう

最初の首都は寒くて却下！

エチオピア初代の王は、紀元前1000年頃、イスラエルのソロモン王とシバの女王の子、メネリク1世。その後、歴代の王たちは長い歴史の中を何代にもわたって首都を転々と変え、近代に至ります。アディスアベバに首都が置かれたのは19世紀後半で、奇しくもメネリク2

図17・18　10年以上前のアディスアベバ
目抜き通りの見晴らしがよい

図19　時折、家畜たちが道横断、車は一時停止

世の統治時代です。交易にも適した海岸や河岸沿いに都市が発展する例は多いと思いますが、戦闘を繰り返しながら王座に君臨する中で、拠点を軍事的な観点から戦略上有利な場所に設置する必要性が出てくることも理解できます。すなわち、高地にそれが求められます。戦闘だけではなく、病気のリスクを避ける意味でも重要であったと言われています。事実、アフリカで今でも猛威を振るうマラリアの罹患は、アディスアベバのような高地ではほとんど見られません。

標高2400メートルのアディスアベバの北側に、エントット(Entoto)と呼ばれる山があります。ここは標高約3200メートル。富士山の8合目に相当しますので、もうそろそろ頂上が見えてくる辺りの高さです。アディスアベバを一望できる絶景が拝める名所の一つです。エントットは、今ではテーマパークが建設されて、新たな観光スポットの一つとなっているのですが、アディスアベバが首都になる直前にメネリク2世が最初に首都の候補地として陣を敷いたのは、実はこのエントットだったのです。

しかしながら、戦略的な価値は満点でも、住んでみると色々な事情がわかるものです。まず気候の問題。エチオピアは高地が多いのですが、さすがに3000メートル超の高地では寒すぎたようです。過去のエチオピアの主な首都で、世界遺産となっているアクスムやゴンダールは、いずれも標高2000メートル以上の高さにありますが、エントットほどではありません。一般に、標高が100メートル上がると、気温は摂氏0・6度下がると言われています。よって、アディスアベバからエントットに上がると、気温は摂氏5度ほど下がることになります。特に朝晩はかなり冷え込むでしょうし、体感温度はもっと低かったかもしれません。

そして、二つ目の理由は、メネリク2世の妻タイトゥ(Taytu)の存在でした。

アディスアベバは温泉街だった!

アディスアベバがエチオピアの首都に定められたのは1886年。皇帝メネリク2世が治めるまで、ここは「ホーラ・フィンフィネ(Hora Finfinne)」と呼ばれていました。エチオピアの最大民族オロモの言葉(オロモ語)で「天然の温泉」を意味します。その名のとおり、エチオピアを含む地域にはプレート境界の「大地溝帯(Great Rift Valley)」が通っていて、至るところで温泉が湧き出ているのです。メネリク2世は、それまで拠点としていた、アディスアベバ北東約150キロメートルにあるアンコバー(Ankober)からエントットに移動し、まずここに王宮を建てました。王宮といっても、非常に質素な私邸という感じの建物です(図20・21)。これは今もそこに建っていますが、これがそうだと言われないと気づかないくらいです。

新しい花が咲くまで

王妃タイトゥは、エントットから見下ろした所にあるフィルウォハ（Filwoha）という名の温泉の近くに家を建てました。おそらく、首都から少しの距離にある温泉街の保養地に建てた別荘のイメージでしょう。この鉱泉は、王宮の職員たちにも大人気のスポットとなって、従者たちもこの近くに住むようになりました。ここがエントットよりも快適な土地であることに気づくのは時間の問題でした。

図 20　エントット山の上に建設された、メネリク２世の宮殿の前で記念撮影

図 21　宮殿に隣接する食堂

メネリク2世は、このタイトゥの住居を広げて王宮とし、ここに首都を移転したのです。そこには年中様々な花が美しく咲いていたことから、新首都は「新しい(addis)花(ababa)」と名付けられました。そう名付けたのは皇帝ではなく、王妃タイトゥだったのです。タイトゥがエントットから見下ろした眼下には、花々に覆われた美しい光景が広がっていたと言われています(図24)。

ここから、ハイレセラシエ1世の治世に引き継がれるまでが、アディスアベバの誕生の歴史です。

図22　メネリク2世が建てた最初の教会

図23　現在の聖メアリー教会

図24　エントット山頂からアディスアベバを見下ろす

アディスアベバを繁栄させたユーカリの木々

エントットが首都に適さなかったさらなる理由は、燃料として使用できる木が少なかったことだと言われています。首都として、人々の活動を支え、産業を振興させるには、十分なエネルギー源が必要です。アディスアベバに首都を構えても、木材はまだ不十分でした。さて、皇帝はどのような策を講じたのでしょうか？

メネリク２世は、燃料として切り出す木材を確保するために、ユーカリの木をオーストラリアから大量輸入するという、国家的な大プロジェクトを敢行したのです（図25）。ユーカリは、美容と健康にも良いとされ

図 25　メネリク２世時代に植林された最初のユーカリの木
もう樹齢１００歳以上

るユーカリオイルが得られることでも知られるように、油分を含むため、しっかり乾燥させると薪としてよく燃えるそうです。また生命力が強いので、地中から水をグングン吸い上げてドンドン成長します。このユーカリの木がエントット山とアディスアベバ市内に植えられました。植林を完成させたのは、後の皇帝ハイレセラシエ1世になってからと言われています。切り出した木材は、燃料として活用された他、当時は建築材にもなったそうです。ユーカリの木は長くて真っ直ぐで、しなやかで強いため、現在アディスアベバでは、建築時の足場として組まれることが多いです（図26）。女性たちが切り出したユーカリの木の束を背負ってエントット山を下山する姿が

図 26　足場として今も使われるユーカリの木

未だに見られます（図27）。相当な重量だと思われます。生活のためとはいえ、この重労働の光景には心が痛みます。

図 27 切り出したユーカリの木を運ぶ女性

ユーカリよ、泣かないで

皇帝2代にわたって行われた植林の努力によって、今ではエントット山は青々としたユーカリに覆われています（図28）。エントット山頂までユーカリ林の山道を車で登っていくと、ここがしばしば「アディスアベバの肺」と呼ばれるのがよくわかります。また、アディスアベバ市内の主要道路の街路樹にもユーカリが多く使用されています。

しかし、人口が増えて都市化が進み、市内の大気汚染は深刻な問題となりました。十数年前、エチオピア在勤中の日本大使が地元紙に「ユーカリ並木が泣いている」と題する投稿をしたことがありました。ジャズの名曲「柳よ、泣いておくれ（Willow Weep for Me）」にちなんだ

図 28 エントット山を覆うユーカリの木々

のかもしれませんが、その時すでに、アディスアベバは深呼吸を必要としていたのでしょう。

大規模な緑化計画、再び

当時の日本大使の叫びがようやく届いたのでしょうか。２０１８年4月にエチオピアの首相に就任したアビィ首相は、全国緑化計画（Green Legacy Project と呼ばれる）を敢行しました。エチオピアのエコ・ツーリズムを促進すると共に、気候変動に効果的に対応するのが狙いです。そのため、２０２２年までに２００億本（！）の植林が計画されました。

２０１９年の第1回植林キャンペーンは、6月から8月末までの雨季の期間に行われました。中でも7月29日には、1日で何と3億５４００本と、政府目標の2億本をゆうに超える記録を達成したことから、この日は緑化偉業の日（Green Legacy Day）と呼ばれています。しかし、政府関係者が総出でこのキャンペーンに参加したために、この日の政府機関はほとんど空っぽだったそうです。ある意味、やることが徹底していますね。政府の職員だけではなく、一般のエチオピアの老若男女を含めて全国の１０００万人以上が参加したそうです。

植樹後も手入れが行き届いているからでしょう、その80％以上が無事に育っているそうです。このプロジェクトを支えるのが全国に2万４０００以上ある苗木業者です。商売繁盛、さぞや忙しくしていることでしょう。また、高品質な木を育てるための種子の研究も進められています。植林は、

2019年には40億本超、翌年の2020年には50億本もの苗木が植えられたと言われています。歴史は繰り返さないが、韻を踏む、と言います。メネリク2世、ハイレセラシエ1世の悲願は、21世紀になっても見事に受け継がれているのですね。

アフリカ通への一歩

アフリカは、暑くない！

アフリカをイメージすると、どのような情景が浮かびますか？　灼熱の大地、眩しく照りつける太陽、乾ききった砂漠、等々。

アフリカは、いつもどこでも暑いとは限りません。アディスアベバの標高が2400メートルということから想像がつくと思いますが、空港に降り立つと、まず高原のそよ風に出迎えられて、アフリカは暑いという認識は一瞬で覆されることでしょう。年間平均気温を見ると、最高気温は摂氏21～25度、最低は8～13度で、年中ほぼ一定です。暑いどころか、涼しい！　時には寒い！　日中ですら肌寒く感じる時期もあります。一軒家には、暖炉が設置してあるところが多いです。高山らしく、直径2センチメートルもの雹《ひょう》が突然バラバラと降ることもあります。

その代わりと言っては何ですが、陽射しは強いです。お越しの際には、紫外線対策が必要です。

第2章 アフリカの政治

1 アフリカにおける民主主義と選挙

材木はワニに化けるのか？

変な見出しと思われるかもしれませんが、アフリカの民主主義を考える上での根本的な質問を投げかけたつもりです。アフリカには民主主義がないとか、理解されない、と言っているのではありません。民主主義の実態には、辞書で定義づけられている以上の意味や課題が含まれていると思います。Cambridge Dictionaryによると、「自由や人々の間の平等における信念、あるいはそれに基づいた政府の制度で、そこでの権力は、選挙で選ばれた代表者か、直接人々に掌握される」または「選挙で選ばれた代表者によって権力を掌握された国」を意味するようです。こうした基本的な定義に加えて、例えば、言論の自由、法の支配、基本的人権、自由な経済活動といった様々な側面が考慮される必要があるでしょう。民主国家は、全体主義や独裁主義によって支配される国家の対極にある概念だとも言えるでしょう。

アフリカにおける、いや世界全体における民主主義に言及するとき、その民主主義は、元来は西側諸国によって導入されたものです。日本もそうですね。民主主義が現代の形になるまでには、人類が血を流して獲得した歴史があります。一方、アフリカが今日の姿に至るまでには、植民地支配、冷戦、独立闘争と独立後の統合に向けた取り組み、といった長い道のりがありました。欧米が主導し、世界が民主主義や人権といった概念を構築していく過程にアフリカが参画していく余裕は、当時はなかったかもしれません。だからといって、形だけのシステムをアフリカに適用して、あとはじっと待っていればよい、ということではないでしょう。

「材木がどれだけ長く水に浮いていても、絶対にワニにはならない。」

西アフリカのニジェール川流域を中心に居住するソンガイ人の諺です。15、16世紀には王国として栄えた人々の知恵です。どんなに形状が似ていても、偽物は本物にはなりえない。民主主義も、そのシステムを使う側が、それを自分のものとして取り入れていく必要があります。

伝統と近代化（西欧化）との狭間で

アフリカにも民主的なシステムは以前から存在しています。人々が村のシンボルツリー（図29）の下に集まり、長老や賢者の導きで対話を行います。そこには、コンセンサスによる合議形式の意思決定という「民主主義」が存在すると言えるのではないでしょうか。皆で話し合うことで、透明性も確保されます。これが、アフリカの民主主義のルーツでしょう。

図 29　村のシンボルツリー

欧米が是とする、自由で公平な選挙で選ばれたリーダーが統治するシステムが、このような、すでに十分機能している伝統社会のルールを上書きすることは可能でしょうか？

アフリカ固有の伝統的な社会統合のあり方とは別の文脈での正当性が付与されたリーダーは、その権限で従来の社会のルールを変更し、自分自身や自分が属する一族の利益の最大化を求めようとするかもしれません。アフリカに限ったことではないのですが、そうなった場合、そのリーダーが権力の座に座る政治は間違いなく腐敗するでしょう。

アフリカの学校にも、いわゆる公民の授業があって、生徒は選挙や法の支配を学ぶといいます。しかしながら、その概念は、伝統的な価値判断に強く影響を受ける彼らの日常生活に、身近なものとして根付いているわけでは必ずしもないでしょう。もっとも、アフリカの名誉のために言いますが、民主主義の実践に成功しているアフリカの国も実際に存在しています。

伝統的には、国家というよりむしろ部族社会の単位としてですが、宗教指導者などの地域社会のリーダーを話し合いによって民主的に平和裡に選出するシステムはアフリカにも存在します。こうしたシステムは、むしろよく機能していると言えるでしょう。ですからなおさら、日常生活に密着したこのような伝統や習慣と、現代社会において要求される新たな制度、つまり西欧的な民主主義との間でジレンマが生じることになるのです。個人の生活における紛争解決方法としては、裁判所に持ち込む司法制度もありますが、伝統的または宗教的な統治メカニズムを通じた解決方法もあります。すなわち、地域社会の揉め事は村の長老か宗教指導者に相談して、裁きを下してもらうやり方です。アフリカでは、多くの人はこの方法を選好することになるでしょう。

アフリカ人よ、アフリカ人であれ！

アフリカの状況に照らせば、未知のものを探るより、すでに持っているものを活用して、それを発展させるアプローチをとる方がうまくいくでしょう。そのほうが、アフリカの一般市民の感覚にも合致します。外部の世界から一方的に押しつけられるよりも、アフリカの潜在力を活かしたほうがよい、ということです。

アフリカでリーダーになる人の多くは、英国やフランス等の欧米に留学した経験を有しています。そうやって欧米的な思考や振る舞いを身につけたアフリカ人の多くは、知らず知らずのうちに欧米人になろうとしているのではないでしょうか？

また、アフリカで民主主義というシステムが失敗する原因の一つに、選ばれたリーダーへの権力の一極集中があると思います。

これまでうまくいっている土着のルールと、合理的な西欧のルールの関係をどう調節していくか、が問われています。

民主主義は贅沢品か？

さて、民主主義を経済開発の観点から捉えると、民主主義の支持層は、いわゆる中間層かそれ以上の層です。貧困層は、自分たちの生存で精一杯で、自国や世界の政治経済事情について考えたり、自ら働きかけをする余裕はあまりないでしょう。また、開発の度合いが低い国の場合、独裁体制であるほうが、意思決定のスピードが速く、経済開発に有利という皮肉な考え方もできます。かつてのアジアの開発独裁がその例でしょう。独裁体制の是非はともかくとして、その国の経済開発にとって良い政策であれば、独裁者は強いリーダーシップで政策を推進するので、一定程度の成果を得ることが可能となります。しかし、その過程で、プロジェクトの現地の環境アセスメントは無視され、住民は立ち退きを余儀なくされて、十分な補償を得られないかもしれません。それでもマクロ経済上はプラスの結果が得られて、経済社会開発は次の段階にステップアップすることになります。そうなれば、民主的選挙の必要性が叫ばれたり、環境や人権・人道を擁護する活動が始まってくるでしょう。幹線道路を建設するプロジェクトを実施する場合には、その道路が通る地域の住民たちの意見や自然環境について十分な事前調査と評価が求められて、それらを無視することはもはや不可能となります。

すなわち、民主主義は「高価なシステム」なのでしょう。無理やり押しつけられても機能しないですし、一時的に機能しても、持続的ではありません。

民主主義は、その発祥の起源はともかく、もはや西洋だけのものではありません。その証拠に、日本を含む国際社会の多くがその価値を主張しています。では、どうすれば万国共通の価値と言えるようになるのでしょうか？

形態に多少の差はあっても、人権、言論の自由、選挙の実施といった、中心となるべき価値観は尊重されるべきでしょう。

そのとき、アフリカの人々はきっと問いかけるでしょう。

「では、果たして民主主義は、私たちの生命を守ってくれるのですか？」

同様に、民主主義で食料を得ることができて、雇用が生まれるのですか、とも。これに対して肯定的に答えることができなければ、何のために犠牲を払ってまで民主主義を獲得し、定着させなければならないのか、納得は得られないでしょう。

アフリカの民主主義についてのこうした議論には、まだ結論は出ていません。その答えは、アフリカ人が下すべきなのでしょう。

民主主義の一形態として実施される選挙

民主主義とは、「選挙」で選ばれた代表者が権力を掌握する国またはその制度です。つまり、民主主義が機能するためには、選挙が適切に実施されて、国民や地域の代表が選ばれる必要があります。選挙制度をしっかり定めて、それに従って有権者が公正な投票を行い、正しく集計がなされて、当選者が確定されます。材木がワニに化けないのと同じく、民主主義も、形ばかりの制度を押しつけても機能せず、自分たちが納得し、受け入れる必要があります。しかし、選挙の実施については、ある程度形式から入ることも大事だと思います。ある国が正しく選挙を実施したかどうかを確認するために、国際社会が選挙監視団を派遣して、選挙の準備段階から投票当日までのプロセスをモニターすることがあります。監視の現場では、主に関連する法整備や手続き面での適切さが確認されることになります。

アフリカの選挙やその現場では、何がどのように行われているのでしょうか？

まず、選挙に先立って有権者を特定し、登録する必要があります。一般的には、直近の国勢調査の結果を基に、有権者登録が実施されて、有権者リストが作成されます。これが選挙を実施する際の基礎情報となります。

また、選挙を管理・運営するための独立選挙委員会が設置されます。この組織は、その名のとおり、政権与党の権力からも、また野党側の圧力からも独立した地位を有していなければなりません。その理由を説明する必要はないでしょう。

登録された有権者には、独立選挙管理委員会から有権者カードが届けられます。投票に行く際には、この有権者カードと身分証明書を持参します。

一方の立候補者は、定められた期限までに必要な数の署名を集めるなどして候補者登録を行い、選挙キャンペーンを展開します。選挙キャンペーンの期間や方法には規定が設けられています。あまりに露骨な有権者の誘導は認められませんし、例えば与野党間で集会の実施方法についての差別があってはならないといったように、候補者・政党間の公平性も確保されなければなりません。

以上は、アフリカに限らず、日本や世界の多くの国や地域における選挙でも大体行われていることなので、特に違和感はないですよね。

1995年のコートジボワールの総選挙直前に地方に出張した際、与党関係者が主催する地域住民向けの選挙集会が行われているのに出くわしました。投票の仕方について説明するところで、係員が「皆さん、投票では、（高く掲げて見せながら）この白いほうの投票用紙を封筒に入れて、投票箱に入れましょう」と言っていました。このときの選挙では、投票用紙の色が候補政党ごとに異なっていて、白い投票用紙は与党候補の色でした。中央から目が届かない地方ではいろんなことが行われているのだな、と複雑な思いをしました。

投票当日は、指定された投票所に行き、受付（選挙管理委員会）に有権者カードと身分証を提示して、有権者リストと照合され、間違いがなければ投票ができます。投票は、有権者各人の秘密が守られるように、区切られたブースで記入して、投票します。投票箱には厳重に鍵がかけられていて、勝手に開けることはできないようになっています。投票所は決められた時間に開場、閉場されます。投票結果の集計は、選挙管理委員会、与野党の代表者、それに市民社会の代表などの立ち会いで、透明性を確保して公正に行われます。

以上が選挙の実施の流れです。ごく当たり前のことのように思われるかもしれません。アフリカだからといって、特別な変化球が飛んでくることはないのです。

個人的に経験した最近の例では、２０２１年６月に実施されたエチオピアにおける議会選挙（総選挙）があります。この選挙では、国民の有権者登録を促すために、政府から大々的な働きかけが行われました。一部には、その方法がかなり露骨だという批判もありましたが、努力の甲斐もあり、多くの登録が行われました。有権者は、居住地を含む区域内に指定された複数の投票所のうち、実際に投票に行く投票所をあらかじめ登録しておく必要があります。つまり、同じ地区でも、自分が登録した投票所でないと投票できない仕組みです。投票資格が確認されると、その有権者の指に不正防止（二重投票防止）のためのインクを付け、選挙管理委員の導きで候補者リストが渡されて、区切られたスペースで自分が投票したい候補者に印を付けます。これを投票箱に入れて投票は終了です。

消えないインクが大活躍

有権者の指に不正防止のインクを付ける、と書きましたが、日本ではあまり馴染みがないかもしれません。二重投票を防ぐために、一度投票した有権者の指先に消えにくいインクを付けておけば、身分証を誤魔化すなどして同じ人が再度投票しに来ても、指先を見れば不正を未然に防ぐことができます。このシステムは、アフリカに限ったものではなく、世界の他の様々な地域でも採用されています。私が過去に選挙監視団の一員として投票場を訪問した際にも、人定事項を確認した選挙管理委員が有権者の指を掴んで、インク壺にその人の指をドボン、とつけて次の手続きに案内しているのを確認しました。私も念のために自分の指をインクに浸してみたところ、完全に消えるには3日かかりました。このインクは、適切な選挙を実現し、その国の民主化や民主主義の定着を支えるために重要な役割を負っている必須アイテムなのです。日本政府は、世界の様々な国の民主化支援の一環として、選挙に必要な消えないインクの供与を行っています。それ以外にも、例えば鍵のかかる投票箱や投票用紙などをパッケージにして供与したりもしています。また、選挙実施の基礎情報となる国勢調査の実施費用を負担したこともありました。

この消えないインク、以前は投票する人の人差し指の先から第一関節くらいまでをインク壺に浸していました。しかし、２０２１年6月のエチオピアでの選挙においては、投票者の親指の爪の付け根に帯のようにインクが付けられていました。普段の生活で支障にならず、しかもオシャレなスタイルに進化していました。「投票したよ」と自慢げにその指を私に見せてくれた職場の女性職員を見ていて、消えないインクを付けたことが、民主主義への貢献者として、地域社会で自慢できるような風潮が生まれるといいな、と思いました。

選挙監視の実態

私はこれまで、アフリカで2回、選挙監視団の一員として監視活動に参加しました。そのときの経験を、当時のエピソードを交えながら紹介します。

1回目は1995年のコートジボワールの大統領選挙。建国の父で初代大統領のウフェ＝ボワニが1993年に死去し、憲法に則って国民議会議長から大統領代行となったベディエ氏が与党筆頭候補として出馬した選挙でした。有力な野党候補が立候補資格を剥奪され、そのままフランスに避難するという、若干きな臭いことがありましたが、ベディエ氏の当選は確実視されていました。野党候補の資格問題は、この候補の母親が隣国出身であることから、その息子である候補者がれっきとしたコートジボワール人ではない、という疑惑に基づくものでした。ここで指摘されたのは、この候補者の「象牙性」でした。コートジボワールはフランス語で「象牙海岸」を意味します。母親が外国人であることは、象牙人として「象牙性」を満たさない、というのです。「象牙性（Ivoirité）」という単語は、このときにベディエ陣営が発した造語です。ところで、この野党候補とは、後に捲土重来を果たし、現在の大統領であるウワタラ氏です。

この選挙では、国連が中心となって選挙監視団が編成されました。現地の日本大使館もこれに参加することになり、私は、選挙当日、複数の投票所を回りました。国際選挙監視団の名のとおり、日本は西アフリカのトーゴから参加した国会議員の監視団員と共に行動しました。国連の事務局から、我々のチームが視察を行う投票場のリストが配布され、それに従って最初の投票場に向かおうとしたそのとき、トーゴの議員から待ったがかかりました。

「そう急がずに。まずは市長（与党系）に挨拶をしなければ。」

私はここで反論しました。

「そんなことをしたら、中立な監視活動の意味がなくなりますよ。投票場を視察した上で、時間が許せば市長にも会えばよいでしょう。回るべき投票所は多数あるのですから。」

すると、当時の私の倍くらいの年齢とおぼしきその議員が言いました。

「こういうときは、まずはその土地の首長に挨拶をしてからだよ。勝手に動き回るのは良くない。」

何がフェアなのか？

私は、選挙監視はランダムに投票所を訪問するからこそ意味があるのであって、あらかじめ来訪が準備されていたら、本当の意味でのモニタリングはできないと考えていました。「監視」なのだから、不意打ちでやらねば意味がない。しかし結局、私の父親くらいの年長の政治家に押し切られる形で、市庁舎へと向かいました。市庁舎の中庭には、カナッペとジュースが用意されていて、あたかも我々の来訪が想定されていたかのような準備がなされていました。市長は得意げに我々を迎え入れ、もてなしてくれました。私はきっと不満たらたらの表情をしていたのでしょう。そうこうしていうちにも、刻一刻と時間が過ぎ、予定したとおりに監視スケジュールをこなすことは難しくなってきます。しかも、これでは我々が市長側に取り込まれたも同然ではないか。そのときはそう思っていました。しかしその後、投票所を回りながら、関係者が一生懸命に作業をし、また投票するために長蛇の列に静かに並ぶ有権者を見ているうちに、この選挙が成功することを心から願う気持ちになっていきました。何か不備があれば指摘してやろうと意気込んでいた最初の気分は吹っ飛び、日没後に最後に訪れた投票所では、集計作業が終わるまで視察して、無事に終了したときには一緒に手を叩いて皆と労い合い、安堵していました。何が正解かは今でもわかりません。ランチタイムの休憩時間に海岸沿いのレストランで楽園のような光景（図30）を眺めていたとき、自分の中で何か悟りのようなものを感じました。その日、選挙の監視状況について地元テレビのインタビューを受けたのが、夜のニュース番組で放映されました。マイクを向けられて自己紹介をし

図30　コートジボワールの平和な光景
コートジボワールで選挙監視をした日の昼食時、このような平和な光景を見ながら、何がフェアな民主主義なのか、を考えていました

た後「監視した範囲では順調に推移し、大きな問題は見られない」と述べたと記憶しています。人生初のテレビ出演でした。

それからちょうど10年後の、２００５年5月のエチオピアの総選挙でも、選挙監視活動を行うこととなりました。ここでは、コートジボワールでやったように国連が全体を取りまとめることはなく、欧米や日本が形成するドナー・グループ内で連携して監視を行おうということになっていました。その調整の段階で、日本はあらかじめ視察ポイントを決めて、エチオピア政府または選挙管理委員会に書面で提出してから監視活動を実施すべきであると主張したのに対して、いくつかの国は「抜き打ち」でやるべきとの立場を固持して、折り合いがつかなくなりました。１９９５年のコートジボワールでの経験から、監視活動に対する考えが自分の中では確立していました。選挙する側も、監視する側も、行動の透明性を明確にして行うことがフェアだと考えるようになっていました。

想定したとおり、議論は収束せず、それぞれの立場で活動をすることとなりました。選挙自体は総じて平穏に実施されたのですが、その結果を巡って野党支持者と治安部隊との間で衝突が起こり、死者を出す騒擾《そうじょう》となりました。選挙の準備と実施がうまくいっても、次の段階では、その結果に対するフォローが必要になります。

バリアフリーの投票を実現するための工夫と配慮

1995年のコートジボワール総選挙で使用された投票用紙は、候補者ごとに赤、白、青などに色分けされ、表にはそれぞれの政党のマーク（エンブレムのような図柄）が描かれていました。こうすれば政党と候補者が誰の目にも一目瞭然だし、字が読めない有権者も間違いなく投票できます。なるほど、バリアフリーだなぁ、と得心しました。

この選挙で投票所を監視した結果として、一点指摘をした点がありました。それは、投票しない候補者の用紙を捨てるゴミ箱の中身が丸見えになっていたことです。どの色の用紙が多く捨てられているかが投票者に一目瞭然だったのです。これは、一定の心理作用を引き起こしたのではないかと思われました。

さらに、事後に興味深い話を聞きました。投票者の中には、自分が支持する候補者の用紙を、投票せずに後生大事に持ち帰り、それ以外の候補の用紙を封筒に入れて投票してしまう例があったそうです。

2021年のエチオピアでは、用紙には候補者と政党名がリスト化されていて、投票者に印を付ける形になっていました。すでに識字率がかなり上がったとはいえ、特に高齢者の中には字が読めない人はまだいます。しかし、このリストにも政党ごとにマークが記されているので心配は無用でした。いずれは、点字の投票用紙や電子投票の導入といった新たな制度が試されていくことになるのでしょう。

集計という重要な作業

投票まできちんとできても、正しく集計されなければ意味がありません。では、現場ではどのような開票・集計作業が行われているのでしょう?

2021年6月のエチオピア総選挙では、投票用紙に印刷された候補者リストの中の誰が選ばれているかを、一枚一枚読み上げて数えていきました。集計するのは、投票に立ち会う選挙管理委員に加えて、与野党の代表者や市民社会の代表者たちです。集計に参加する全員の数が一致しなければならないので、万が一にも不一致が生じれば、一致するまで何度も集計し直すのです。非常にマニュアルな方式ですが、関係者全員が納得することが何よりも重要です。

1995年のコートジボワールでの集計は、投票用紙の色ごとに、その数を黒板に書いていきました(図31・32)。日本だと、漢字の「正」を5と数えていくように、ここでは旧宗主国フランスに倣って、フランス式に、四角(□)に斜め線を入れた「☒」(升記号)のような記号で5ずつ数えていきます。斜め線が右下がりの場合もありますが、いずれにせよ、□で4画、5画目は斜線です。

こうした数え方は、国ごとに様々で面白いですね。例えば米国では、縦4本に斜線で5。一般

図31・32
コートジボワールでの投票所の集計の様子
フランス式記号を使って黒板に記録

にタリー（tally）と呼ばれる方式です。タリーは、古くは古代石器時代からあるそうで、メッセージの伝達や、借金の記録など、様々な機能を果たしてきたそうです。いずれは人工知能（AI）がやってくれるのかもしれませんが、透明・公正な選挙が人々の創意工夫と協力で行われていってほしいですね。

アフリカ通への一歩

民主的選挙 ——もう一つのバリアフリー投票の方法

アフリカでの選挙においては、文字が読めない人のために、候補者・政党ごとに異なる色の投票用紙で投票することがありますが、西アフリカの小国ガンビアでは、非常に興味深い方法で投票が行われます。「ドラム缶、ビー玉、おがくずと砂」と聞いてピンと来る人はなかなかいないと思います。この国では、候補者・政党ごとに、青、赤などの色に塗られたドラム缶が並べられます。これが投票箱です。そして、候補者は、ビー玉を持って、投票所の奥に設置されたドラム缶の中から投票する色のドラム缶を選んで、そこにビー玉を入れます。ドラム缶の上部は蓋がされていて、チューブのような形状の管が延びて、ビー玉の直径より少し大きめの穴が空いています。ここが投票口となります。ドラム缶が設置されている場所は、もちろん外からは見えないようになっていて、投票の秘密は守られます。また、ドラム缶の底にはおがくずや砂が敷かれていて、落下するビー玉の音が響かないようになっています。

必要は発明の母、と言いますが、創意工夫が施された面白い、よくできたシステムですね。

2 アパルトヘイト

アパルトヘイトを語らずして、アフリカを語ることなかれ。そのくらい、この言葉の持つ意味はアフリカに重くのしかかっていると思います。21世紀になった今でも。AU総会では、毎回パレスチナの代表が招待され、アフリカの全首脳がパレスチナを支持する決議を採択するのはなぜでしょうか。ロシア軍がウクライナに侵攻した際、ウクライナ在住のアフリカ系住民の扱いが不当だとAUが非難声明を出したのは記憶に新しいでしょう。アフリカから発信されるすべての主張とそれを生み出すエネルギーの源は、ここにあると言っても過言ではありません。古くて新しい問題、アパルトヘイト。それをご紹介します。

ツツ大司教の死

モダン・ジャズの巨匠、故マイルス・デイビスが１９８６年に発表した『Tutu』というアルバムをご存知でしょうか。当時流行し始めた電子音を取り入れたフュージョン・タッチの楽曲で構成され、マイルスの特徴的なトランペットの音色が語りかけます。このアルバムの1曲目は、タイトル曲『Tutu』です。Tutu（ツツ）とは、ノーベル平和賞を受賞した南アフリカの神学者デズモンド・ツツ大司教のことです。ツツ大司教はアパルトヘイト撤廃に向けて非暴力で立ち向かった活動家です。１９８１年から毎年ノーベル平和賞にノミネートされ、１９８４年に受賞。このツツ大司教が、２０２１年12月26日に死去したとのニュースが世界中を駆け巡りました。享年90歳。１９８９年に白人で大統領に就任し、アパルトヘイト撤廃を加速させたデクラーク氏の死（２０２１年11月11日、享年85歳）を追う形となりました。

ちなみに、このマイルスのアルバムのラストは「Full Nelson」という曲。フルネルソンはレスリングの技にもありますが、この曲は言わずもがな、２０１３年12月5日に95歳で天に召されたネルソン・マンデラに捧げられたものです。

アパルトヘイトとは

「アパルトヘイト（Apartheid）」とは、南アフリカの公用語のアフリカーンス語で「分離、隔離」を意味します。特に南アフリカにおける白人と非白人（黒人、アジア系、カラードと呼ばれた混血）の関係を規定する人種隔離政策を指すものです。アパルトヘイトという単語自体は、１９１３年の「原住民土地法」に登場するのですが、一般に普及したのは１９４８年に居住地区条項を法律で定めた頃からです。この政策は、1994年に撤廃されるまで半世紀もの間、いえ、差別自体はもっと長期にわたり、行われてきました。現在も社会に存在する人種差別とは異なり、国家が政策として法律その他の公の制度で定めていたのです。21世紀に生きる我々にとっては想像を絶するものでしょう。しかし、これがまかり通っていたのは、人類史における純然たる事実です。

なお、一部のリベラルな白人の中には、反アパルトヘイト運動を行っていた者がいたことも事実です。

日露戦争の背景とのつながり

ロシアのバルチック艦隊を破って日本が勝利した日露戦争（1904〜05）は、有色人種が白人との戦争に勝利したとして、アジア、中東、アフリカの多くの人々を勇気づけたと言われています。開戦の2年前の1902年には日英同盟が締結されました。「栄光ある孤立」政策を維持していた大英帝国が、なぜ極東の小国であった日本と同盟を結ぶに及んだのでしょうか？

私は歴史家ではないので、実務家としての解釈を述べます。ロシアの欧州での勢力拡大を危惧する英国は、その当時、南アフリカでボーア戦争(南阿戦争、ブール戦争)の終局を迎えていました。ボーア戦争は、南アフリカに移住していたオランダ系移民の子孫（ボーア人またはブール人）と、南アを支配下に収めようとする大英帝国との間の戦争です。1880〜1881年の第一次ボーア戦争では、英国側が多大な犠牲を出して屈辱の敗退を喫しました。満を持しての第二次戦争（1899〜1902年）では、序盤こそ劣勢に立ったものの、終盤に巻き返して英国がなんとか勝利しました。英国は、このボーア戦争に大量の資源を投入し、多大な犠牲を払いました。そのような中で、不凍港を求めて南下するロシアを食い止める必要があったのですが、正面から戦う余裕はありませんでした。また、大英帝国とロマノフ朝ロシアは、政治的には敵対しつつも、王室間での婚姻関係があることなどから、直接対決をなるべく避けようとする傾向があったとも言われています。いずれにせよ、極東でロシアの南下に脅威を感じていた日本と同盟を結ぶこととなりました。締結は1902年1月。ボーア戦争に英国が辛勝した（同年5月）ほんの数ヵ月前のことでした。

南アのボーア人は、英国との戦争に負けた後も支配層である英国人に抵抗を続けたのですが、その生活は貧しく「プア・ホワイト」と呼ばれていました。この困窮白人を救済するために、鉱山労働法、原住民土地法、産業調整法といった法律が次々と成立し、有色人種との差別化が図られていったのです。日露戦争の裏で、アパルトヘイトが始まったと言えるかもしれません。

高まる反アパルトヘイト運動

アパルトヘイトによる差別を受けていた非白人たちは、黙って耐えていたわけではありません。何年にもわたり、南ア各地で様々なデモや地下活動が行われてきました。反アパルトヘイトの活動家として有名なのは、ネルソン・マンデラ、オリバー・タンボ、そして白人との混血のウォルター・シスルの3名でしょう。彼らはいずれも、現在は政党となっているアフリカ民族会議（ANC）の青年同盟に加入し、その後、幹部にまで登りつめました。オリバー・タンボだけ、アパルトヘイトの撤廃を見ることなく、1993年に他界しました。彼は訪日した際に、広島の原爆資料館を訪れていて、記帳を行っています。21世紀になり、ANC幹部が訪日した際、広島でオリバー・タンボの署名が入ったページを見て大変感銘を受けていました。正義を求めた彼らの闘争は、今も関係者の心に刻み込まれているのですね。

反アパルトヘイト運動の母体としては、ANCの他にも、南アフリカ・インド人会議（SAIC）、ANCから分派したパン・アフリカニスト会議（PAC）などがありました。

シャープビル虐殺事件とロベン島大学

1960年、「パス法」（1952年に成立）に反対する集会が、PACの呼びかけにANCが合流する形で、ヨハネスブルグ郊外で開催されました。「パス法」とは、南ア居住の16歳以上の黒人は、氏名、写真、指紋、雇用主（白人に限定）の連絡先等が明記された身分証を常時携帯していなければならないとする法律です。集まった群衆に軍が発砲し、参加者は次々と逮捕されました。この事件は、集会の地名から「シャープビル虐殺事件」と呼ばれています。これを機に、ANCとPAC

は非合法とされ、マンデラは1962年に、シスルは1963年に逮捕されて、ロベン島の刑務所に送られました。タンボは、その頃にはすでにザンビアに亡命していたので、遠隔地で活動を続けていました。マンデラは、釈放されるまでの実に28年間、ロベン島で過ごすことになりました。ここには、様々な政治犯が投獄されていたのですが、自由と民主主義について学び合ったことから「ロベン島大学」と呼ばれることもあります。ロベン島は、ケープタウンから十数キロ離れた距離にある島で、本土との間の海の波が比較的荒いので、受刑者は、脱獄したとしても、遊泳はもちろん、ボートで簡単に本土に戻れるわけではありません。つまり、島流しにはもってこいの場所だったのです。

学生運動のソウェト蜂起

日本が安保闘争で荒れていた頃、南アでもう一つの反アパルトヘイト活動が始まっていました。マンデラら3人の活動家にもう1人、象徴的な活動家を加えるとすれば、大学生のスティーブ・ビコの名が挙げられるでしょう。ビコは、1968年、黒人だけの学生組織「南アフリカ学生機構」を結成し、様々な活動を行いました。黒人の意識を高めるこの運動は全土に広がって、1976年、オランダ系移民の言葉で南アの公用語となっていたアフリカーンス語での教育に反対する黒人がヨハネスブルグで抗議運動を起こしました。これは、その地区の名を取って「ソウェト蜂起」と呼ばれ、南ア国内のみならず、国際社会の目をアパルトヘイトに向けさせる重大な事件となりました。以後、南ア国内では反アパルトヘイト活動が盛んになっていきます。

国際社会からの制裁

1952年以降、国連総会は、アパルトヘイトに対する非難決議を毎年採択し続けました。1973年には「人道に対する罪」と糾弾しました。南アは1960年に共和制に移行し、現在の南アフリカ共和国となりました。この際に、英連邦への継続加盟申請を行ったのですが、英連邦からも非難を受けて、南アは翌61年に英連邦から脱退しました。

アパルトヘイト制裁はスポーツの祭典にも及びました。1960年のローマ五輪への出場が叶わず、1970年には国際オリンピック委員会（IOC）から除名されました。除名は、1992年のバルセロナ五輪でようやく復帰するまで続きました。

日本人は名誉白人

1980年代には、国際社会の多くがアパルトヘイトに反対し、南アへの経済制裁や交流停止の措置を執りました。日本は南アにとって重要な貿易相手国だったので、1961年以降、日本人は「名誉白人」として他の非白人とは区別されて、特別な地位を有していました。しかし、白人専用のホテルやレストランといった施設への出入りが認められたにとどまり、永住権や不動産取得権は認められませんでした。また、白人と非白人の間の性交渉を禁じる背徳法は日本人にも適用されました。日本が南アの最大貿易相手国となったことを受けて、1988年2月、国連の反アパルトヘイト特別委員会の委員長は、遺憾の意を表明しました。

マンデラ氏ついに釈放！

80年代に南ア政府は、ソウェト蜂起の際にやり玉に挙げられたパス法を含む複数の措置を廃止したのですが、国際社会の南ア政府への批判は止むことがありませんでした。その後、1989年に大統領に就任したデクラークは、アパルトヘイト撤廃に向けた改革を促進しました。彼は、1990年2月に、ANC等の非合法団体を政党として合法化し、マンデラを釈放しました。その後、1994年のアパルトヘイト完全撤廃まで、一気に改革が加速するのですが、移行期は常に不安定で危険な期間でもあります。黒人による白人狩りのような仕返し行為も含めて、国内には不安も広がって、混乱し、多数の死者も出ました。

1994年4月に初めて全人種が参加する総選挙が行われ、5月にマンデラが大統領に就任。新政権が樹立されました。これでアパルトヘイトは終了です。国際社会の制裁も順次解除されていきました。ツツ大司教は、様々な肌の色が一つにまとまったこの国を「レインボー・ネーション」と表現しました。この表現は今でも使われています。

差別はなくならない

21世紀の今でも、人種差別は続いています。ブラック・ライブズ・マター（BLM）という単語のハッシュタグがSNS上でペタペタと貼り付けられるのを目の当たりにします。我々人類は、アパルトヘイトの反省から何を学んだのでしょうか？

『アマンドラ！ 希望の歌』という、アパルトヘイトを描いたドキュメンタリー映画があります。「アマンドラ」は、南部アフリカの土着言語の一つのングニ語で「力を」という意味です。誰かが「アマンドラ」と発すると、皆が「アウェイトゥ」と応じます。このやりとりは、「人々に力を（power to the people)」という標語になるのです。アパルトヘイトで苦しいときにも、常に人々は歌を歌っていました。歌が希望を与え、それが力となったのです。

21世紀の今も、「アマンドラ」と誰かが声を上げなければならないのではないでしょうか。

アフリカ通への一歩

あのガンジーも影響を受けたアパルトヘイト

インド独立の象徴的存在である政治指導者、マハトマ・ガンジーを知らない人はいないでしょう。しかし、ガンジーの活動に南アの人種差別が直接的な影響を及ぼしたことはあまり知られていないかもしれません。英国の植民地下のインドで生まれ育ったガンジーは、ロンドンで法律を学び、卒業後、1893年に英国領南アフリカ連邦で弁護士として開業しました。ちょうど、第二次ボーア戦争の頃で、まさに白人優位の人種差別が行われていたところでした。英国紳士として振る舞っていたガンジー自身もインド系ということで差別を受け、そこからインド人としての意識に目覚めていったようです。インド系移民の差別に対する権利の請求運動を行い、投獄される苦難も味わいました。その後、インドに帰国してからの活動は皆の知るところです。帰国直前には南ア南部の海沿いの町ダーバンで農場を経営し、そこで、禁欲、断食といったストイックな生活を送り、精神面が強化されたと言われています。

インドのニューデリーでガンジーが暗殺された1948年1月から半年後、南アでは、アフリカーナー（南アの白人）国家主義のマラン率いる国民党が総選挙で勝利し、アパルトヘイトが国家制度として確立されました。天国でガンジーはどういう思いでこの状況を見ていたのでしょう。

3 国境画定

アフリカを直進する人為的な国境

アフリカには54の主権国家があります。アフリカ大陸を地図で見ると、国境が所々直線になっていて、人工的で恣意的に定められていることが窺い知ることができるでしょう。直線であることの理由の一つは、地形が低地でしかも砂漠のような比較的平らな土地だからです。例えば、アルジェリア、マリ、リビア、エジプト、ニジェール北部、チャド北部、スーダン北部あたり。また、ナミ

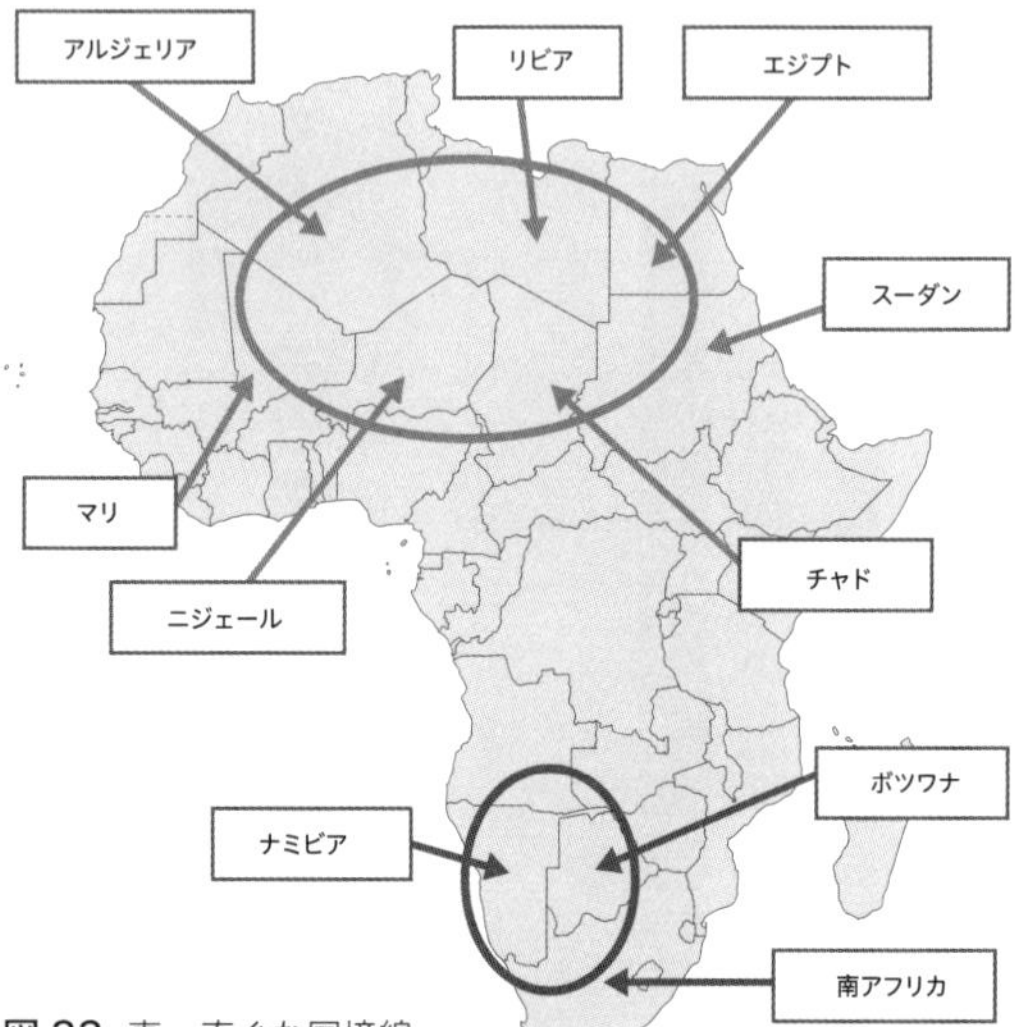

図33 真っ直ぐな国境線

ビア、ボツワナ、南アフリカ北部あたりです（図33）。前者はアフリカ北部地域で、サハラ砂漠があります。後者は南部のナミブ砂漠がある地帯です。遮るものがなく、見通しが良いと、真っ直ぐに線を引くことができます。そして、もう一つの理由には、列強による植民地支配の歴史が関係しています。

　国境は、陸上だと山や川などの自然の障害物によって決まることがあります。この場合、国境線は地形に沿って複雑な形になることが多いです。または、隣接する国同士が話し合いで決めることもあります。お互いが納得する形で決まるなら、それもよいでしょう。しかし、土地の住民ではなく、外から来た支配者同士が相談して彼らの都合で決めてしまう場合もあります。アフリカの場合は、この方法で国境の多くが決められました。

　19世紀、英、仏などの欧州列強がアフリカに進出して、そのほとんどを植民地化しました。アフリカの植民地について、利害関係が衝突した19世紀末に、列強同士が話し合い、緯度、経度を測り、支配する地域（国）の範囲を決めることになりました。その際、線引きの基準は、列強の利益の妥協点をつなぐことでした。現地住民の民族分布や文化は考慮されませんでした。その結果、人為的な国境線によって、一つの民族が分断されたり、生活圏が制限されたり、異なる民族同士が無理やり一つの国家に含められたり、と無理な状況が生じたのです。

国境紛争への取り組み

図34　国境紛争地帯（主なところ）

アフリカの国境地帯では、多数の国境紛争が生じています（図34）。その原因の一つとして、人為的な国境の線引きによるものが考えられます。

現在、国連とアフリカ連合（ＡＵ）が主催して、国境地帯の紛争への対処に取り組んでいます。「アフリカ国境地域センター計画（Africa Borderlands Centre（ＡＢＣ）Project）」と呼ばれ、日本も執行理事国の一員です。他の国や機関からの支援に先駆けて、２００万ドルの支援を行いました。２０２１

年6月には、第1回目の執行理事国会合が開催されました。国境地帯の開発を進めるには、過去50年の情報を集約したデータベースが必要で、このビッグデータをまとめた事典（Encyclopedia）の編纂の必要性が訴えられました。国境地帯が抱える課題がいかに歴史的に根深く、複雑であるかが想像できるでしょう。

ビッグデータの必要性

現在の多くの国境紛争の原因には、国境地帯の一部の地域の帰属を巡る争いがあります。そこが歴史的にどちら側にあったのか、を検証するには、前述のアフリカ国境地域センター（ABC）計画にもあるように、膨大な情報を遡って調査する必要があります。国境が外部の支配者によって人工的に画定された場合、本来そこは人々が生活していたり、行商のキャラバンが自由に行き来していた区域だった可能性があります。その土地を分断するように国境線が引かれたために後々になって紛争化したのであれば、国境画定そのものが原因ということになります。しかし、それを言っては元も子もありません。「アフリカの国境線を一から全部引き直しますか？」ということになってしまいます。AUでは、現在の国境自体を見直すことはしない、と決めています。これをやると、パンドラの箱を開けて、収拾がつかなくなってしまうからです。すでに紛争化した国境問題を解決するだけでも、十分大変なのです。

南北スーダンの間にあるアビエイのように、資源が大きな論点になっている土地もあれば、エチオピア・エリトリア間のバドメのように、土地自体は特段肥沃でもないけれど（ただし、鉱脈があると言われたこともあります）、紛争のキッカケとなった象徴的な土地を巡る争いが紛争に発展したケースもあります。しかし、本質はそれほど単純なものではなく、そこに至る様々な要因を含めて検討する必要があって、やはりビッグデータを載せた大事典を紐解いていく必要があるのです。日本が抱える国境紛争を見ても理解できるでしょう。もちろん、現地の人々の意見にも真摯に耳を傾ける必要があります。

国境地帯の警戒度が高いのはどこも同じですが、例えば、私が以前、エチオピアとエリトリアの国境を視察した際に、地元の自警団に取り囲まれて、厳しく誰何されたことがありました。これから、エチオピアとエリトリアの国境問題の概要と、私自身の経験を紹介します。国境問題というものが、いかにビッグデータを背景に処理しなければならない難解なものか、わかっていただけると思います。

エリトリアという国 ——古代王国からイタリアの支配まで

ＡＵ本部があるエチオピアは、３０００年の歴史を有し、一度も植民地化されていない、という点で、アフリカで極めて珍しい国です。その北部に隣接するエリトリアは、昔はエチオピアと一体でした。今のエリトリア国民の多くは、国境を接するエチオピアのティグライ州を中心に居住するティグライ系の人々と同じ民族です。主要言語はティグライ語です。エリトリアは、いわば、エチオピア（特にティグライ）とは兄弟の関係にある国です。エチオピアの歴史については、別の章で紹介しますので、ここではもう片方の兄弟国エリトリアをメインに紹介します。

エリトリアという国名は、その国が紅海（Red Sea）に面していることから、その「紅」に由来すると言われています。もともとはギリシア語だったのが、その後ラテン語に訛って、現在の発音に似た呼び方となったそうです。エリトリア、エチオピア、ケニア、ソマリアなど、アフリカの角と呼ばれる地域が人類のゆりかごとしても知られているように、エリトリアでも古代人の化石が発掘されています。また、エリトリア、スーダン北部、ジブチ、ソマリア北部の沿岸地帯は、紀元前に古代エジプト王朝の一部を成していました。古代エジプトと交易があり、後に、プントランド（ソマリア北部）の名称の元になったと言われるプント王国の一部を成していたとも言われています。その後、長きにわたってエチオピアのアクスム王国の一部を成しました。アフリカ大陸の北部を東西に長く伸びる海岸線と、紅海を挟んで近い距離にイエメンをはじめとする中東がある地形から、イスラム教徒を含む様々な民族との交流を経験してきました。その結果、オスマントルコの影響も受けました。このように、大昔に複雑な歴史を辿ってきたこの国の人々は、近現代に入っても様々な経験をすることになります。

ロスト・イン・トランスレーションでイタリアに丸め込まれる

時は一気に駆け上がり、19世紀。欧州列強がアフリカに本格的に進出した頃、イタリアがエリトリアに侵攻して、現在の首都アスマラの辺りを植民地化しました。19世紀末から20世紀初頭にかけて起きたイタリアとの戦争（アドワの戦い）に勝利したエチオピアの皇帝メネリク2世は、沿岸地域の取り決めについて、イタリアと協定を締結します。ところが、協定文書の中の文言が、翻訳のマジックによって、というよりもイタリア側の欺瞞工作によって、イタリア側に有利な内容で合意させられてしまいました。その結果、エリトリア地域に対するイタリアの主権を、エチオピア側は認めざるを得ない結果となったのです。協定文書を、それぞれの当事国の公用語（この場合、イタリア語とアムハラ語）で作成することは、今でも普通にあることですが、気付いたときには後の祭り。きっと激しくイタリア側に抗議したのでしょうが、受け付けられなかったに違いありません。せっかく戦争で勝ったのに、戦後処理で痛恨のミスをしましたね。

イタリアの支配が終わるのは第二次大戦後。そこから1950年までは、この地域からイタリア軍を排除した英国の管理下に置かれました。地政学上の要所でもあることから、冷戦下のソ連、そして歴史的・地理的にも関係があったアラブ世界も秋波を送っていました。最終的に国連が介入して、エリトリアの運命は民族自決に委ねるべきとの議論がなされました。一定の自治権（独自の「国旗」、税収を含む独自の行政制度の導入など）は認めつつも、整理としては、その当時のエチオピアの皇帝ハイレセラシエ1世配下のエチオピアに編入された形となりました。

エチオピアからの独立運動の始まり

エチオピアに編入されたことで、何となく元の鞘に収まったように思われるかもしれませんが、英国の管理下にあった影響から、エリトリアでは、エチオピアの帝政よりも、よりリベラルな政治体制を選好する動きが生じていました。そして、1958年に、エリトリア解放運動（ELM）が結成されると、エリトリアのエチオピアからの独立運動が勢いを増しました。ELMは1962年に帝国軍に討伐されましたが、それに先立つ1960年に、エジプトのカイロでエリトリア解放戦線（ELF）がエリトリア亡命者によって結成されていました。ムスリム人口を一定割合抱えるエリトリアのこの独立運動は、一部のアラブ諸国から見れば、キリスト教国エチオピアの圧政に抵抗するムスリム同胞の戦いとも映ったのです。そして、シリアやイラクがELFに武器を提供して、その活動を支援しました。そこから約30年間にわたってエリトリアの独立運動が続くことになります。

エチオピア政府も黙ってはいません。秘密工作員をエリトリアに送り込んで、反乱分子を捕らえ、さらには殺害もしました。これによってＥＬＦは大打撃を受けましたが、１９７２年には、エリトリア人民解放戦線（ＥＰＬＦ）が結成されました。このリーダーが、現在のエリトリア大統領のイサイアスです。ＥＰＬＦは強固な軍隊を持っていて、エチオピア軍を排除にかかりましたが、ソ連の空軍の支援を受けたエチオピア軍に苦しめられました。

今は亡きデビッド・ボウイやマイケル・ジャクソンも熱唱！

エチオピアでは、１９７４年、ソ連の支援を受けたアマン・ミカエル・アンドムが軍事クーデターを起こして、皇帝ハイレセラシエを退位させると、軍事社会主義政権（軍事評議会「デルグ（Ｄｅｒｇ）」と呼ばれる）のトップ（議長）に立ちました。もともとはエリトリア出身だった彼は、デルグの運営やエリトリアとの関係を巡って、デルグ内で他の幹部と対立しました。そのときのライバルの一人が、後にエチオピアで軍政を敷いたメンギスツです。アマンは議長就任後、わずか２ヵ月でライバルの部隊に暗殺されます。

デルグ第一副議長、つまりアマンの首席補佐役だったメンギスツは、アマン亡き後、軟禁していたハイレセラシエ皇帝を１９７５年に殺害します。２年後の77年にはクーデターを成功させて、

図 35
アディスアベバにある「レッドテラーマーターズ（赤軍テロ殉教者）記念博物館」に展示された「軍に連行されるハイレセラシエ皇帝」の写真

自ら議長に就任しました。メンギスツは、ソ連やキューバの支援を受けて社会主義化を進め、国内の粛清を行いました。同時に、エリトリア（エリトリア独立戦争）やソマリアとの戦争（オガデン戦争）を進めました。その結果、エチオピア国内では飢餓が拡大し、100万人にも及ぶ難民が流出しました。この頃のエチオピアのイメージを今でもお持ちの方もいるのではないでしょうか。

80年代に、英国のミュージシャンたちが結成した「Band Aid」の「Do They Know It's Christmas?」や、米国の「USA for Africa」の「We Are the World」は、このときに作られた

チャリティー・ソングです。私もレコードを持っていました。

兄弟の契りと訣別

エリトリア軍はエチオピアのティグレ人民解放戦線（ＴＰＬＦ）が率いる軍と共闘し、メンギスツによる軍事社会主義政権（デルグ）を倒しました。ＴＰＬＦは、１９７０年代の帝政時代に、ティグライの革命家によって結成された反政府勢力「ティグレ民族機構（ＴＮＯ）」が原点となり、さらに政治的・軍事的にパワーアップして、１９７５年に改組された組織です。ＴＰＬＦは、１９８９年には、国内の他の地域（オロモ、アムハラ、南部地域）の主要政党と共に、エチオピア人民革命民主戦線（ＥＰＲＤＦ）を結成しました。このときにコアとなったＴＰＬＦを率い、ＥＰＲＤＦのトップとなるのが、後にエチオピアの首相となるメレスです。

ＥＰＬＦ（エリトリア）のイサイアスとＴＰＬＦ（エチオピア）のメレス。この２人は打倒デルグ陣営のツートップとして、兄弟のように共に戦った戦友です。そして、その後、エリトリア大統領とエチオピア首相として、それぞれの国を代表する人物となります。しかし、やがて犬猿の仲となって激しく対立し、戦争にまで発展することになるのです。

アフリカ通への一歩

独裁者の特別ゲスト

さて、イサイアスとメレスに打倒されエチオピアを追われたメンギスツは、ジンバブエに亡命し、ムガベ大統領（当時）の庇護を求めました。ムガベ大統領は、自国の独立闘争の際に、メンギスツから受けた様々な軍事支援の恩返しとして、手厚く保護を提供しました。政権が変わった現在でも、メンギスツは特別ゲストとしてジンバブエに滞在中です。エチオピア司法は、メンギスツを終身刑に、そしてその後、死刑の判決を下しました。エチオピアに帰国したらすぐに捕まって処刑される運命です。しかし、ジンバブエ政府は、メンギスツのエチオピアへの引き渡しを今も行っていません。

エリトリアの独立で海を失ったエチオピア

メンギスツを1991年に倒したEPLFとEPRDF（TPLF）は、エリトリアにいるデルグ勢力の残党を連携して駆逐します。そして、EPLFはエリトリア地域（州）を支配下に置きました。内戦終結のための和平会議では、エリトリア州の独立について国民投票を行うことが決定されました。１９９３年4月、エチオピア政府によって行われた国民投票の結果、99％を超える圧倒的多数の賛成票を得て、エリトリアの独立が決定しました。エチオピア憲法の39条では、民族自決を認める連邦離脱規定が定められています。この憲法の規定に則って適正に行われた独立でした。

独立後、エリトリアは独自通貨を発行したり、エリトリアが有する港湾の使用料を定めたりしました。こうした新たな政策についての交渉が難航したことで、両国間の関係が壊れ始めます。エリトリアでは、独立により国民の民族意識が高揚していました。その一方で、エチオピアは引き続きエリトリアへ影響力を行使したい考えが強かったのです。そこに来て、通貨の管理や港湾の使用といった経済安全保障上の規制がかかったことが、決定的な対立のトリガーとなりました。エリトリアが独立したことで、エチオピアは海への出口を失い、内陸国となりました。これは、エチオピアのメレス首相の最大の失点とも言われます。しかし、本当に海への強いこだわりがあったのなら、エリトリアを簡単に手放すようなことはしなかったでしょう。引き延ばす作戦をいくらでも思いついたはずです。

一説には、イサイアスが率いるエリトリア軍は、メレス配下のＴＰＬＦ軍より強かったと言われています。両者が同一国内にいたら、いずれワントップのポジション争いで決闘する宿命だったたかもしれません。そうなることをメレスは懸念していたのかもしれません。事実、メンギスツを狙って首都アディスアベバで最初に砲弾を打ち込んだのは（メレスの軍ではなく）イサイアスのEPLF軍だったのです。ライバルの本当の強さがわかっていたから、メレスはエリトリアの独立を黙って認めたのかもしれません。メレスはすでに他界しているので、本人から直接話を聞くことは、残念ながらもうできません。

一発の銃声が戦後最悪の国境紛争の始まり

さて、ここに来て、ようやく国境問題の話に移っていきます。両国の国境沿いのバドメという都市を含む一帯の国境線が未画定のままだったので、両国がバドメを自国領と主張しました。バドメは不毛な土地と言われていますが、当時ここに金脈が発見されたとも言われていました。その真偽はわかりません。

両国間の国境紛争は、1998年5月6日から2000年6月18日までの約2年間続きました。エチオピア軍が占拠していたバドメにいたエリトリア兵を、エチオピア軍が銃で撃ったことが発端と言われています。これが引き金となって、エリトリアは軍を動員。バドメを含む地域に攻撃をかけたために、エチオピアはいったん撤退しました。しかしその後、エチオピア政府がエリトリア軍の撤退を要求したので、エリトリアはこれを宣戦布告と受け取り、そこから戦闘が本格化したのです。

エリトリア政府は、正当防衛による攻撃を主張したのですが、国連の安全保障理事会への報告義務を怠っていました。国際法上、こうした行為を正当化するためには、正当防衛や緊急避難行為を証明する必要があるのです。そのためには、自衛権の発動としての行動を国連安保理に報告しなければならない決まりになっています。

エチオピアは、ロシア空軍の支援を受けて、ロシア（ソ連）製戦闘機 Su-27 による爆撃を行いました。対するエリトリアは、ウクライナが支援し、ロシア（ソ連）製の MiG-29 で応じました。国境紛争とはいうものの、双方が首都を空爆するほどの激戦となり、戦闘の範囲と犠牲者の規模は拡大していきました。死者数は7万人とも10万人とも言われました。第二次大戦後、この規模の被害を出した戦争は、朝鮮、インドシナ、ベトナム、イラン・イラクの四つのみです。その激しさがわかるでしょう。また、この戦争は、それぞれを支えたロシアとウクライナの代理戦争と言われることもありました。冷戦の負の遺産がここにも影響していたとも考えられますね。エチオピア軍にはロシア人の傭兵が参加していたと言われています。

停戦と国境画定

２０００年6月に、ＯＡＵ（アフリカ統一機構）の調整により、両者の間に停戦合意が成立しました。そのポイントは、以下のとおりです。

・即時停戦
・平和維持部隊の展開
・エチオピア軍は、1998年5月以前の統治地域まで撤退
・エチオピア軍の撤退ラインからエリトリア側に幅25キロメートルの暫定安全地帯を設置。エリトリア軍は、そこへの立ち入りを禁止

翌7月に、国連安保理は、決議1312を採択し、エチオピア・エリトリア派遣団（UNMEE）の設置を決定しました。いわゆる国連PKOが派遣されることになったのです。

同年12月には、両国の包括的和平合意（アルジェ和平合意）が成立しました。その内容は以下のとおり。

・停戦合意の遵守と敵対行為の禁止
・OAU事務総長の任命による「公平で公正な機関」による国境紛争の調査
・中立の国境委員会が国境線を決定（画定及び確定）する
・両国の国家及び国民が受けた損害について、相手国に請求するための請求委員会を設置

国連エチオピア・エリトリア派遣団（UNMEE：United Nations Mission in Ethiopia and

Eritrea）は、国連のＰＫＯ活動の一つです。「アンミー」または「ウンミー」と発音します。その主な任務は、エチオピア・エリトリア間の停戦合意を受けて、停戦及び両軍の兵力引渡し状況の監視、暫定安全保障地帯における非武装化、地雷の除去、係争地帯における住民追放等の人権状況の監視をすることです。２０００年７月31日に任務を開始しましたが、その後、国境線の決定に向けた交渉が進まず、受け入れ当事国のＵＮＭＥＥへの非協力が日増しに高まるなどしたため、後述するように、２０００年７月末に活動は打ち切られました。

原則として受け入れる

ＯＡＵから改組したＡＵが発足する３ヵ月前の２００２年４月、アルジェ合意により設置された国境委員会による国境の画定が行われました。ところが、その地図上の線引きによると、係争地であるバドメがエリトリアに帰属するとなっていたために、エチオピアはこれに異議を唱えました。双方が譲らないまま時が過ぎ、２００４年、国連安保理は、国境紛争に改善が見られないことを懸念するとの立場を表明しました。その後、エチオピアはこの決定を「原則として受け入れる」としました。しかし、２００５年から両国関係は再度緊張し、同年末には、エリトリアがＵＮＭＥＥに参加している西側諸国の要員に撤退を要求するといった不規則な動きも見られました。私がこの国境地帯を視察に訪問したのは、両国がこうした険悪な関係にある最中のことでした。

２００５年12月、国連安保理決議に基づいて設置された請求委員会は両国の主張を審査し、以下の裁定を下しました。

・１９９８年5月6日及び7日の事案について、両国の意見は異なるが、限定された小規模な紛争であることは明らかであり、国連憲章51条の「武力攻撃」にはあたらない。よって、エリトリアの侵攻は合法的な自衛権としては認定されず、その地域における戦時国際法違反についてはエリトリア側に責任がある。

・ただし、国境未画定地域における攻撃が事前に計画されたものであるというエチオピア側の主張は、証拠が存在しないため認定されない。

・戦時国際法違反においてエリトリアが負う損害賠償の範囲は、この手続きの損害段階において決定される。

以上がエチオピア・エリトリア国境紛争の全貌です。ビッグデータを無理やり簡略化したため、触れていない史実や説明もありますが、ご容赦ください。

エチオピア・エリトリア間で国境画定に関する交渉が難航していた頃、幅25キロメートルの安全地帯へのエリトリア側からの侵入や、ＵＮＭＥＥ要員への嫌がらせが報告されたりしました。安全地帯への侵入は、収穫の季節には、近郊の住民たちが農作物の収穫のためと称して行われることがあります。わざわざそのような場所に作付けしなくてもよいのに、と思われるかもしれませんが、もともと耕作地だったところを一方的に立ち入り禁止としたのは国際社会のほうです。ならば一時的な侵入は仕方がないかもしれません。しかし「収穫（harvesting）」と称して戦車で侵入した別の事案が生じたりもしています。こういう例を考えると、収穫であろうと何であろうと、ダメなものはダメだと思い直してしまいます。

とにかく、ＵＮＭＥＥの活動は思うように進みませんでした。両当事国が非協力的で、本来の目的である監視活動が妨害され、国境画定交渉も暗礁に乗り上げました。とうとう国連は、ＵＮＭＥの撤退を検討し始め、２００８年7月末に撤退しました。両者が一触即発の状態にある中で、監視がなくなれば、何が起こってもおかしくありません。ちょっとした小競り合いが大惨事に発展する危険性もあります。そもそも、エチ・エリ国境紛争の発端は、そうした小規模衝突だったのですから。

様々なルートから情報収集をしても、首都にいたままでは限界があります。ＵＮＭＥＥ関係者と話をした際に、よかったら現地を案内しますよ、と言っていただきました。百聞は一見に如かず。

実際に見に行こう。そして、現地の人々の話を聞こう。ということになり、エチオピア北部ティグライ州の国境地帯に出張することになりました。

ボディーガードは監視役

出張日程を固めてから、エチオピア政府には、我々の出張日程、行き先、目的を明記して通報すると共に、安全面を含め、必要に応じた支援の依頼を書面で提出しました。同時に、国連（UNMEE）に対して、現地への同行と案内を正式に依頼しました。ほどなく国連からは、出張中に各自の身に起こるいかなる不利益についても自己責任で対処する、という内容の誓約書に署名するよう求められました。

出張当日、空港には、エチオピア外務省から責任者が見送りに来てくれていました。その隣に、1名のセキュリティ・オフィサー（安全対策官）と呼ばれる人物がいました。どうやら我々に同行するらしいのです。書面で安全面での支援を依頼したためでしょう。寡黙で英語もあまり通じないようでした。我々の安全確保の目的の他に、恐らく我々の行動を見張り、逐一本部に報告する役目も担っていたのでしょう。出発してからわかったのですが、この安全対策官は、往復の航空券を政府から渡されただけで、宿泊費や食費は一切受け取っていなかったのです。結果として、我々が彼の分も支払ってあげることになりました。事後に、この点をエチオピア外務省に指摘したら、「わかった。払い戻しを検討する」と言ってくれましたが、結局うやむやになってしまいました。

国内線の小型機がティグライ州の州都であるメケレの空港に到着し、我々はホテルにチェックインした後、迷彩服を着たUNMEEの担当者と合流しました。交通の要所であるアディグラットを経由して、一路目的地の国境へ。

善良な市民はどこへでも行ける

ところで、「外交関係に関するウィーン条約」という国際約束があるのをご存知でしょうか（注）。この条約では、外交官は、その接受国（赴任先の国）の領域内を自由に移動・旅行することが認められています。接受国は、そのための便宜を保証する、そして外交官の身分が不可侵のものであることが定められています（第25条、第26条、第29条）。同時に、外交官は接受国の法令を遵守することが求められています（第40条）。善良な市民でいろということです。国際約束は守らなければなりません。法律をどう解釈してどう適用するか、という知的作業とは別に、現実問題として現場で何が起きうるのか、ということを見る上で、私の経験は一つの例示となるでしょう。

（注）外交関係に関するウィーン条約

第25条：接受国は、使節団に対し、その任務の遂行のため十分な便宜を与えなければならない。

第26条：接受国は、国の安全上の理由により立入りが禁止され又は規制されている地域に関する法令に従うことを条件として、使節団のすべての構成員に対し、自国の領域内における移動の自由及び旅行の自由を確保しなければならない。

第29条：外交官の身体は、不可侵とする。外交官は、いかなる方法によっても抑留し又は拘禁することができない。接受国は、相応な敬意をもって外交官を待遇し、かつ、外交官の身体、自由又は尊厳に対するいかなる侵害をも防止するためすべての適当な措置を執らなければならない。

第41条―1：特権及び免除を害することなく、接受国の法令を尊重することは、特権及び免除を享有するすべての者の義務である。それらの者は、また、接受国の国内問題に介入しない義務を有する。

いくつものチェックポイントを越えて

現地に着くまでの道中、いくつものチェックポイントを通過しました。ある地点では軍が、またある地点では警察が、というように、治安部隊が要所を守り、通行車両や人を厳しくチェックしています。国境に近づくにつれて、段々と道が細く、込み入ってきます。いくつかのチェックポイントを守っているのは、様々な服装をした現地の人たちです。ある者は軍服、しかも、どこで手に入れたのかわからないくらい、皆バラバラです。またある者はTシャツにジーンズといった私服だったりも。彼らは、地元のミリシア（武装した自警団、といったところでしょうか）だそうです。橋その他重要なポイントは、政府軍ではなく、むしろミリシアに任せたほうがよいとも言われています。現地を知り尽くした彼らは、通行車両や乗員が地元民かよそ者か、すぐに見分けることができるからです。また、守っているのが自分たちの土地ということで、士気も高い。もっとも、すべてのポイントに正規の軍や警察を配備するのは困難だから、という政府側の台所事情もあるのでしょう。

ここがそうだ、と言われた場所で下車。人間の背丈よりも高い植物が鬱蒼と茂るところで、UNMEEの要員から指さされたほうを見ると、すぐそこが国境であることが確認できました。その茂みからは、PKO要員が巡回から戻ってきたりしています。季節にもよるかもしれませんが、国境はもっと見晴らしの良いところだと思っていました。これでは監視もままならないでしょう。しかも、UNMEEによる安全地帯の上空飛行を当事国が認めないと主張しているのです。これなら、「収穫」のためと称して意図してこの地帯に潜り込むことも可能でしょうし、誤射などの事案も発生するかもしれません。

やはり、百聞は一見に如かず。現場主義の重要性を再認識しました。

自警団に取り囲まれる！

そのとき、現場が急に騒がしくなりました。見ると、地元の若者が大勢、どこからともなく集まってきていたのです。服装は私服。リーダー格らしい青年を含め何人かは銃を持っています。なにやらUNMEE側と揉めている様子。どうやら我々に関係がありそうなので、何事かと出て行ったら、突然の侵入者（我々）を危険分子とみなしているらしい。何だ、そんなことか、と思い、こちらは日本大使閣下で、私はその部下の大使館員である、と伝えました。相手は、それがどうした、という顔をしている。何をしている、との質問に、できるだけ丁寧に答え、またこの出張については、エチオピア政府にも通報していることを添えました。しかし、そのリーダーは、こんなところで何をしている、と繰り返し、敵対心をあらわにしています。困った。この状況でウィーン条約云々、と言ったところで効果は期待できなさそうですが、主張するだけはしてみました。しかし相手はニヤッと笑ったまま、そんなことを言っても脅しには乗らないぞ、という感じです。こちらとしては、脅すつもりは毛頭なく、国際法上の権利義務の説明をして理解を求めただけなのですが。彼は銃を見せながら、自分はお前たちなんか怖くない、と繰り返します。一方の大使はというと、そんな青年リーダーに対し、「君は勇敢だねぇ」と微笑みながら話しかけていました。融和作戦、懐柔戦術なのか？

さて、押し問答は1時間近くも続き、彼らのほうも困ってきたようです。リーダーが、今から大佐(Colonel)に電話する、といって携帯電話を取り出しました。我々を持て余してしまったのでしょう。上官に判断を仰ぐということです。彼らはミリシアです。国境地帯を守っているので、非常に重要な任務を負っているはずです。私は、これは厄介だ、簡単には終わらないぞ、と思い始めました。

強制連行?!

あいにく、彼らの上官は市場に出かけていて、連絡が取れないということでした。その日は土曜日で、多くの人が市場に出かけるようです。ますます困った彼らは、我々を国境から少し離れた町まで搬送する、と言い出しました。ＵＮＭＥＥ要員とも相談して、ひとまず彼らの意思決定に従うことにしました。搬送先の町に着き、その町の仲間に我々を引き継ぐと、青年リーダーたちは笑顔で手を振って去って行きました。お荷物がいなくなって安心したのでしょう。「今日は怪しい外国人を丁重に排除し、地域の安全を維持しました」と上官には報告するのかもしれません。

次の町のミリシアからも同じ質問をされて、我々は同様に返答しました。そして、同じように１時間が経ち、彼らは我々を持て余し始めました。そして、彼らが選択したのは、我々を国境からさらに離れた次の町まで搬送することでした。新たな町は少し大きな都市のようでした。政府のものらしき建物に着くと、我々は中に案内され、ミリシアたちは去って行きました。通された一室には、軍服を着た責任者らしき人が座っていました。挨拶もなく、我々を詰問するように誰何し始めました。

またここでも同じようなやりとりが展開されました。調書を取るためか、書類とペンを取り出し、名前を聞かれました。そこで、大使が割って入りました。

「ちょっと待って下さい。我々は正式に公務で出張してきたのです。それなのに、現地の若者にここまで連れてこられました。この町がどこで、ここのオフィスは何なのか、あなた方はどういう立場の誰なのか。質問する前に、我々の質問に答えていただきたい。」

相手は虚を突かれた感じでしたが、居丈高な態度は変わりません。そして大使と私の名前などを聞いてくるのですが、今度は我々も口を開かない。とうとう困った相手は受話器を持ち上げ、ニヤリと笑みを浮かべながら「今から将軍に電話するぞ」と言い、「日本の大使だな」と念を押すように言って電話を掛けました。私は、将軍でも誰でもいいから、とにかく話のわかる立場の人に早く取り次いでもらいたい、と思っていました。


電話での会話の途中で、相手の表情と口調が変わったように思われましたが、実際のやり取りはわかりません。受話器を置いて、開口一番「今からあなたたちを滞在先のホテルまで送り返す」と述べて立ち上がりました。この責任者自ら車両で先導し、我々はホテルまで戻って来ました。そして最後に、「明日、将軍が会いに来るから、その時にきちんと報告するように」と述べて去って行きました。

「もちろん、ここで起きたことすべて報告しますよ」とこちらも応じました。

翌朝、ホテルをチェックアウトして帰路に着いたのですが、「将軍」とやらに会うことはありませんでした。

思わぬことで貴重な体験をして、現地の様子を、身をもって体験して理解することができました。あらためて、百聞は一見に如かず。現場主義の重要性を再度心に刻み込む機会となりました。

アフリカ通への一歩

国境の「画定」と「確定」の違い

国境を決めることを国境画定と言いますが、国境確定と書くこともあります。画定と確定は、日本語としては大体同じ意味なのですが、国境の線引きに関しては、厳密には異なる意味を持っています。英語でも異なる単語を当てています。国境の「画定」は「delimitation」で、「確定」は「demarcation」です。日本語と同様に、どちらも区画を分ける線引きをするという意味なのですが、国境画定（確定）の文脈では異なります。日本語の場合、発音がどちらも「カクテイ」で同じなので、余計に紛らわしいですね。

では、両者はどう異なるのかを説明します。国家間の協議によって国境を決定する場合には、その基準点となる緯度と経度の交点を図面に落として、点と点をつないでいきます。白地図上に線を引くイメージです。しかし、実際に土地を二つの領域に分割するには、その地図上に引かれた線を地上に落として国境を設定する必要があります。具体的には、地図上の線に従って測量して、地面に杭打ちをしていく作業です。もうおわかりでしょうか。地図上の線引きが「画定（delimitation）」で、地上での杭打ち作業が「確定（demarcation）」ということです。

地図上では一直線であっても、実際に杭打ちを行う段階で、自然の障害物や、人工的な建造物（村落、教会のような建物等）があって、どうしても直進できないことがあります。その場合は、それらに沿うか、あるいは避けながら進んでいきます。したがって、地図上に引かれた線が定規で引いたように一直線でも、実際には地上では多少ジグザグした線になることもあります。

第3章

アフリカの経済

1 アフリカ大陸自由貿易圏

アフリカ経済は外部に大きく依存

アフリカ大陸の貿易と経済統合について見ていきましょう。第二次世界大戦が始まった背景の一つは、列強が植民地を含めて囲い込み経済政策を進め、自分たちの経済ブロックの内側だけを優遇した貿易を行い、周囲との間に、高い関税の壁を立てたことです。この反省から、戦後の1947年に、「関税及び貿易に関する一般協定（GATT）」と呼ばれる国際協定が作られ、100以上の国が締結しました。これを基に、1994年には、自由貿易のための国際機関である「世界貿易機関（WTO）」が設立されました。現在、世界164の国・地域が加盟しています。WTOが目指しているのは、世界のすべての国や地域で関税のかからない自由貿易体制を実現し、円滑に貿易が行われることです。しかし、一足飛びにはいかないので、特定の国同士や地域内に限定した形であっても、世界の自由貿易化に貢献するものであれば、そうした地域内貿易の自由化が一定の条件下で認められています。

アフリカは資源が豊かで、13億超の人口を有し（しかも増加中）、約３・５兆ドルのＧＤＰを計上する、一大市場を形成しています。ところが、国連貿易開発会議（ＵＮＣＴＡＤ）の報告書（The Economic Development in Africa Report 2019）によれば、アフリカ内の輸出の割合は、２０１７年で16・６％です。これは、欧州の68・１％、アジアの59・４％、アメリカの55・０％と比べて極端に少ないですね。さらに、アフリカ内の輸出入（双方向の貿易量）で見ると、わずか２％です。これは、米国（47％）、アジア（61％）、欧州（67％）とは比べものにならない小さな割合です。

すなわち、アフリカの経済は、欧米やアジアのような、アフリカ以外の経済力に完全に頼り切った構図になっているのです。これは、アフリカ内の資源の効果的活用ができていないこと、そして、アフリカが外部の情勢や力学に大きく左右されうる脆弱な体質であることを意味します。

世界最大級の自由貿易圏の創設

ＡＵの長期統合計画であるアジェンダ２０６３が掲げる15の旗艦プロジェクトの中に、「アフリカ大陸自由貿易圏（African Continental Free Trade Area：ＡｆＣＦＴＡ）の創設」があります。アフリカ大陸規模での自由貿易圏を創設するための協定をまとめ上げて、大陸内の自由貿易を実現することが目標として設定されているのです。人口と経済規模では、２０２０年11月に署名された「地域的包括的経済連携（ＲＣＥＰ）協定」（15ヵ国で世界の人口とＧＤＰの30％を占める）や「環太平洋パートナーシップ（ＴＰＰ）協定」（11ヵ国で世界ＧＤＰの13％を占める）には敵いませんが、加盟国の数では圧倒的に世界最多なので、世界最大規模の地域間貿易協定（Regional Trade Agreement：ＲＴＡ）の一つと言えるでしょう。２０１８年のＡＵ特別総会でＡｆＣＦＴＡ設立協定に署名がなされ、翌19年5月30日に発効しました。

２０２０年にＡＵ議長を務め、同年にＡｆＣＦＴＡに関するＡＵ特別総会を主催した南アフリカのラマポーザ大統領は、「大陸の進化における新時代の最先端、真摯に努力し目指してきた瞬間がついに到来した。我々はこれほど遠くまでたどり着いた。素晴らしい誇りに満たされている。」と述べました。世銀は、ＡｆＣＦＴＡがもたらす所得上昇に伴って、３０００万人が極貧から、そして６８００万人が貧困から抜け出すと分析しています。

２０２１年1月1日に、ＡｆＣＦＴＡ下での貿易の開始が宣言されました。コロナ禍のために、予定から半年遅れたとはいえ、ここまで一気に取り組みを進めてきたアフリカの指導者たちの政治的関与はものすごいものがあると思います。

アフリカ内貿易の活性化への期待

冒頭に述べたとおり、潜在能力がある一方で、アフリカ内貿易は活発ではありません。コロナ禍でアフリカの経済が大打撃を受けた中、ＡｆＣＦＴＡの推進にも暗雲が立ち込めたように思われました。しかし、アフリカ大陸では、このピンチはむしろチャンスであるとの論調が主流となりました。コロナ対策キットのマスクや個人防護服（ＰＰＥ）をいつまでも外国からの輸入に頼る必要があるのか。ワクチンの製造もアフリカ自身でできるのではないか。外国からの支援に依存せず、大陸内のいくつかの生産拠点でこれらを生産し、アフリカ内で供給し合うほうが圧倒的に有利ではないか。こうした声に応えるためにも、ＡｆＣＦＴＡは、アフリカ内貿易を活性化するために必要不可欠な道具であると考えられたのです。

ＡｆＣＦＴＡ下では、ＡＵ加盟国は、経済発展の度合いに応じ、開発途上国、後発開発途上国、特別な扱いが必要な国、に分類されます。開発途上国は、①タリフライン90％は5年、②センシティブ品目7％は10年で関税撤廃、③残りの３％を非対象品目とすることができます。一方の後発開発途上国は、①は10年、②は13年、③は同様。少し優遇されています。さらに、特別な扱いが必要な国については、①が15年となるのを含めて、より緩やかな（これを「譲許的な」と言います）条件が課せられています。

ＡｆＣＦＴＡを管理・運営するための事務局は、ガーナの首都アクラに設置されました。２０２０年2月のＡＵ総会で、南アフリカ出身のワムケレ・メネ氏が初代事務局長に選出されました（図36）。メネ氏は、スイスのジュネーブにあるＷＴＯの南ア政府代表を務めた貿易のプロです。この事務局長の椅子を巡っては、ナイジェリアやコンゴ（民）といったアフリカの大国との間で熾烈な競争が行わ

図 36：メネ AfCFTA 事務局長
（AU ホームページから）

れました。それを勝ち抜いての就任です。いかにこのポストがアフリカで重視されているかが窺えるでしょう。

課題は山積でも、走りながら検討

アフリカの政治指導者たちの強い意思によって合意され、運用開始となったＡｆＣＦＴＡですが、実は、今でも、すべての交渉が妥結しているわけではないのです。少し専門的になりますが、ルールの交渉は大きく2段階に分かれていて、第一フェーズでは、物品譲許表、サービス約束表、紛争解決機能に関する交渉が行われました。議論の調整はほぼ終結したと言われていますが、譲許表一つをとっても、完全に調整が終わったわけではありません。また、原産地規則の問題も難航しているようです。競争政策、投資、知的財産権を扱う第二フェーズは、今後どういったスケジュールで交渉が進むのかもよくわからないのです。さらに、電子商取引を含む第三フェーズをどうするのか、といった問題も残っています。日本人の感覚では、これらの問題がもう少し片付いて先の見通しが立たなければ、運用の開始を宣言することなどないのでしょうが、そこはアフリカです。これらの課題については、走りながら検討している状況です。

また、投資家が不利益を被った場合に国家を相手取って申し立てることを可能とするＩＳＤＳ条項が含まれていないので、ＩＳＤＳ条項を含む二国間投資協定（ＢＩＴ）を個別に締結していなければ、投資家のインセンティブを維持できるのか、といった疑問も残ります。

ルール以外の障壁も無視できません。例えば、国家や地域の情勢不安です。また、インフラ整備の欠如による輸送コストの負担があります。さらには、貿易業務に携わる政府当局関係者の能力強化も必要です。貿易とは、国境を越えた取引ですが、国境を通過する際の通関手続きで長時間を要する場合、そして必要な書類の準備や認可が複雑であればなおさら、貿易は滞ってしまいます。自国を出る際に行列を作って手続きを済ませて、国境を越えた向こうの国でもまた行列に並び、同じような手続きの順番を待つ。そのような場合には、税関窓口を一本化して、手続きを簡素化し、これに携わる行政官の能力向上を図ることで効率化されます。日本は、「ワン・ストップ・ボーダー・ポスト（ＯＳＢＰ）」という制度を導入して、貿易の円滑化を支援しています。

「ルールも完成しておらず、実施も不完全な状況下で、よくも開始したな」と感心したり、驚いたりした方もいるでしょう。しかし、このように歩いたり走ったりしながら物事を進めていくのが、まさにアフリカ流です。２０２1年1月の運用開始は、象徴的なものでしかないとも言えますが、アフリカの統合に向けた大きな一歩であることは間違いありません。千里の道も一歩から。まず踏み出すことの意味をアフリカに教わった気がします。

アフリカの統合は、大陸全体で一つのアフリカを実現する動きと、地域ごとにそれぞれが統合を進める動きの2段階構成で進められています。AUが認定した地域機関（RECs）ごとに、経済統合が進められていて、RECs内での関税同盟が存在する地域もありますが、その進捗度はまちまちです。速度の異なる地域（RECs）の統合過程と、大陸の統合戦略をどのように調整するかも、AfCFTAが機能するための課題の一つです。

日本にとってのメリット

AfCFTAは、アフリカ大陸内の貿易について、関税を自由化し、域内貿易の活性化を目指すものです。よってそれは、アフリカ内貿易の強化にはつながりますが、同時に、アフリカとその他の地域との貿易や投資を促進するものでもなければ、その効果は半減するでしょう。

グローバル化が進み、世界経済はあらゆる部分で連結しています。これは紛れもない事実です。アフリカが自由貿易協定で経済統合を進めることは、世界経済の主要な主体の一つとして、多角的貿易体制に組み込まれていく不可逆的な流れに乗ることを意味します。よって、アフリカとその他の世界の関係がウィン・ウィンでなければ、AfCFTAは成功とは言えないでしょう。自由貿易圏の創設は、圏外との間に高く分厚い壁を作るためのものであってはダメです。日本の企業がアフリカのとある国に投資して、商品を製造し、大陸内で販売するとき、日本企業もアフリカも自由貿易の恩恵を受けることができます。ＡｆＣＦＴＡが外国投資を呼び込む魅力となれば、その努力は成功と言えるでしょう。

なお、パンデミックで多くの国がロックダウンし、物理的な輸送が停滞したことは、アフリカに限ったことではありませんでした。しかし、サービス分野はどうでしょうか。特に、インターネットを使った電子商取引の利用価値がこれほどまでに重視され、恩恵を感じたことはなかったのではないでしょうか。ＡｆＣＦＴＡについても、アフリカの若いデジタル・ネイティブ世代がここでも活躍する機会が大いにあるはずです。また日本はこの分野でこそ、アフリカとの連携をさらに強化することができると信じています。

2 通貨統合

欧州よりも先に始まったアフリカの通貨統合

ＡＵがアフリカ統合のために推進する長期目標「アジェンダ２０６３」は、アフリカ金融機関の創設を一つの目標に掲げています。おそらく、アフリカの経済面での統合の一環として、欧州連合（EU）が単一通貨ユーロを創設したように、AUも、大陸共通の単一通貨の創設・発行を目指している、ということでしょう。

こう述べると、アフリカの通貨統合は、欧州にずいぶん遅れを取りながら始まったように思われるかもしれませんが、実は一部の地域では、ずっと昔から行われていたのです。東部・中部アフリカでは、CFAフラン（セーファー・フラン）という通貨が使用されてきました。セーファーはCFAの仏語読み（セー・エフ・アー）で、またフランというだけあって、もともとはアフリカの旧フランス植民地の通貨です。西部アフリカでは、西アフリカ諸国中央銀行（BCEAO）が発行するCFAフラン（西アフリカCFAフラン）、中部アフリカでは、中部アフリカ諸国銀行（BEAC）が発行するCFAフラン（中部アフリカCFAフラン）があります。両者は同一価値ですが、相互のCFAフラン圏において使うことはできません。CFAフランは、1958年に1仏フラン＝50CFAフランに固定されましたが、その後、1994年になって、1仏フラン＝100CFAフランと、対仏フランで半分の価値に切り下げられました。その後、ユーロの導入によって仏フランが消滅したことから、1999年に、1ユーロ＝655・957CFAフランに固定されました。ユーロ導入前と比べると、換算が少しややこしくなりました。

CFAフラン圏

宗主国フランスにとって都合の良いシステムとして導入された統一通貨CFAフランは、結果として域内の経済統合、より具体的には金融・通貨統合の実現と促進に貢献しています。その通貨名のCFAは、もともとは「Colonies françaises d'Afrique」で、つまり「アフリカのフランス植民諸国」という意味で、植民地主義が丸出しでした。それが今では、別の名称に変わっています。西部アフリカでは「Communauté financière africaine（アフリカ金融共同体）」、中部アフリカでは「Coopération financière en afrique centrale（中部アフリカ金融協力）」と呼ばれています。植民地支配などなかったかのように、きれいさっぱり化粧直しが施されています。20年以上前に西部アフリカのベナンに出張した際、同国の大臣が「欧州に通貨統合のやり方を教えてやるよ」と笑いながら自慢げに話していたのが印象的でした。

この通貨統合（CFAフラン）に参加しているのは、西部アフリカからは、西アフリカ経済共同体(ECOWAS)加盟15ヵ国の半数以上の8ヵ国(注1)。中部アフリカからは6ヵ国(注2)です。合計14ヵ国というのは、全アフリカ54ヵ国の4分の1に相当します。ちなみに、これら14ヵ国のうち、ギニアビサウは旧ポルトガル領、赤道ギニアは旧スペイン領なので、厳密にはすべてが旧フランス領ではありません。

（注1）ベナン、ブルキナファソ、コートジボワール、ギニアビサウ、セネガル、マリ、ニジェール、トーゴ
（注2）中央アフリカ、コンゴ（共）、カメルーン、ガボン、赤道ギニア、チャド

この14ヵ国の規模感はどの程度でしょうか。まず、人口比では、アフリカ全体は約13・5億人。中・西部通貨統合圏は約1億8600万人なので、全体の約14％を占めることになります。

GDPでは、アフリカ全体が約2兆4400億ドル、中・西部通貨統合圏が約2500億ドルなので、約10％を占めることになります。

CFAフラン圏の国は、外貨準備高の50％をフランスに預託しなければならない決まりになっています。これについては、フランスによる経済支配であるとの批判もあります。確かに、アフリカのGDPの10％に相当する経済圏で流通するこの通貨の基礎の部分を握っていることの意味は、フランスにとって非常に大きいはずです。

ECOWAS内での統一通貨創設・導入に向けた動き

地域経済共同体（RECs）内で最も地域統合が進捗しているECOWASにおいて、統一通貨ECO（エコ）を導入する議論が進められています。2019年6月、ナイジェリアのアブジャにおいて、ECOWASの首脳たちは、2020年からのECOの導入を決定しました。また、

ＥＣＯＷＡＳ加盟の15ヵ国のうち西部アフリカＣＦＡフラン圏の8ヵ国とフランスは、同年12月、コートジボワールのアビジャンにて、ＥＣＯに移行した際には、外貨準備高の50％の預託というフランスの管理を受けないことに合意しました。

ＥＵのユーロをモデルにした通貨ＥＣＯの創設は、ＥＣＯＷＡＳ内のＣＦＡフラン圏に属さない国を中心に提案されました。具体的には、ガンビア、ガーナ、ギニア、リベリア、ナイジェリア、シエラレオネです。どちらにも属さないのがカーボベルデです。これら6ヵ国は、西アフリカ通貨圏（ＷＡＭＺ、仏語だとＺＭＯＡと表記）を２０００年4月にガーナの首都アクラで設立し、いずれはＣＦＡフラン圏と統合して、ＥＣＯＷＡＳ全体として２０１５年に方向性を示すこととしていたのですが、その動きは停止しています。

ＥＣＯ導入に暗雲

さて、２０２０年にはＣＦＡフランが廃止され、ＥＣＯに移行するか、というところまで来ましたが、なかなかそう簡単には運びませんでした。現状は、移行への交渉がストップした状態です。プロセスが停滞している理由は、ＣＦＡフラン圏とＷＡＭＺ加盟国との立場の違いです。一部の仏語圏は、ＥＣＯがＣＦＡを乗っ取ると受け取り、抵抗していると言われています。また、ユーロとの固定相場を主張するＣＦＡフラン圏と、変動相場制を主張するその他の国との間の調整もついていません。

２０２０年1月、ナイジェリアのアブジャで開催されたＷＡＭＺの会合において、ＷＡＭＺ加盟6ヵ国がＥＣＯへの参加を見送ることを決定しました。その結果、ＥＣＯ参加国は、ＣＦＡフラン圏の8ヵ国と、いずれにも加盟していないカーボベルデの計9ヵ国となりました。

さらに、２０２０年9月には、コートジボワールのウワタラ大統領が、ＥＣＯＷＡＳ首脳会合において、コロナ禍の影響等から、ＥＣＯを今後数年以内に導入することは困難、と発言しました。

大陸の通貨統合の未来や、いかに？

ということで、最も統合が進んでいるＥＣＯＷＡＳ内でも道のりは険しそうです。ＣＦＡ圏では、現在もＣＦＡフランが流通しています。ＥＣＯを巡る議論は、いわば、通貨の名称をＥＣＯとすることが合意されただけ、の状態です。

他の地域での動きとしては、例えば東アフリカ共同体（ＥＡＣ）では、２０１３年に統一通貨議定書に合意し、10年以内の実現を目指すこととなっていますが、果たしてどうでしょうか。あまり明確な動きはつかめていません。

3 アフリカにおけるデジタル転換

世界は電子データで覆われている

データは「21世紀の石油」と言われるほど、我々の生活や仕事におけるデータの収集、活用の重要性は増しています。コロナ・パンデミック以降、特にテレワークの促進などで働き方改革が進み、自宅で過ごす時間が増えたこともあってか、インターネットで映画や動画を観たり、オンライン会議の機会が増えました。流通するデータの中でも、ネット動画の割合が増えてきているようです。

世界中で作られるデータの量は、2000年から20年間で約1万倍増加し、59兆GBもあるそうです。と言われても、正直ピンときませんよね。これは、文字言語にすると、ホモ・サピエンスが誕生してから現在までのすべての人間（1100億人）が話した言語量の1万8000倍になるのだそうです。この勢いで日刊紙の紙面に文字を書いていくと、たったの23秒で日本の国土がその紙で埋め尽くされる、というすごい計算をした人がいました。

データをフローの観点で見てみると、世界の流通量は、2021年で2780億GB／月、過去

40年で１７０億倍に増えたそうです。いずれも数値が大きすぎて、感覚がマヒしそうですね。このうちの６割を動画が占めるらしいです。

世界のデータ流通量は、２０１６年の統計では、北米、アジア太平洋でそれぞれ35%ずつ生成され、西欧で15%生成されています。これらを足すと、すでに世界の85%になります。一方、中東・アフリカは３%と非常に小さい値です。しかし5年後の２０２1年には、アジア太平洋とアフリカが伸びて、それぞれ39%と6%です。アフリカは、割合こそ小さいですが、5年で倍増しています。

コロナ禍で、世界は多くのものを失いました。しかし同時に、失うだけではなく、様々な機会を生み出したのだと思います。デジタル転換（ＤＸ）は、ある意味、パンデミックやロックダウン状況下においてこそ、その価値と利益を最大化することができたのかもしれません。例えば、アフリカでは、２０２1年1月に運用を開始した、大陸規模の自由貿易（ＡｆＣＦＴＡ）を促進することにもなるでしょう。

自由なデータ・フローとセキュリティの両立をどうするか、が一つの問題です。世界貿易機関（ＷＴＯ）では、日本が中心となって、デジタル経済（電子商取引）の議論をリードしています。このように、貿易におけるＤＸ関連のルール作りも進んでいます。

ケニアを中心に居住するマサイの人々の中には、携帯電話で牛の売買取引をする人たちがいます。その代金は、銀行口座を通さずに支払われます。金融技術サービス（fintech）は、すでにアフリカで大きな役割を果たしています。ケニアでは、すべての電子決済の70％がM-Pesa（エムペサ）と呼ばれるモバイル・マネー・アプリを介して処理されています。２０２０年だけで、４７０億ドルの送金が行われました。

エムペサの「M」は、モバイル（mobile）の頭文字で、「pesa」は、ケニア、タンザニアなどで公用語とされているスワヒリ語で「お金」を意味します。つまり、モバイル・マネーです。このシステムは、２００５年にケニアで試験的導入が行われ、２００７年に正式に開始されました。その後、一気にタンザニア、ガーナ、エジプトなどのアフリカ大陸に拡大していきました。さらに、アフリカを越えてアフガニスタンでも導入されています。インドやルーマニアでも一時期導入されていましたが、現在は終了しているようです。エムペサは、モバイル端末を利用して、お金をデポジットしたり、現金を引き出したり、また支払いや送金も行うことができます。自分の銀行口座を持たなくても、日常生活に必要な資金運用が可能なこのシステムは、あたかも小さな銀行を端末に入れて持ち歩いているようなものでしょう。どのように自分の携帯電話にデポジットするのでしょうか。途上国では、多くの現地の人々は、プリペイドの携帯電話を持っています。あらかじめ町のキオスクなどでプリペイドのカードを購入して、そこに記入されている暗証番号を携帯電話に入力して一定額をチャージします。エムペサが導入されている国のキオスクで、例えば「airtime」というカードを売っていれば、それを購入し、自分の携帯電話にチャージすれば、デポジットは完了です。このデポジット額があたかも自分の銀行口座の残高であるかのように、資金の運用が可能となるのです。

私が住むエチオピアでも、電子決済の導入が始まっています。国営通信会社の「Telebirr」というモバイル・マネーの勧誘が、私のスマホにもSMSで送られてきます。テレビのCMでは、シートベルトをしていなかった運転手が警察に路上で止められ、違反切符を切られて、その場でスマホでこのシステムを通じて罰金を支払うシーンが流されています。なお、2022年に、エチオピアでもエムペサの導入が決まりました。この国のモバイル市場を獲得したのは、エムペサを扱っているサファリコムとボーダーフォンですが、これに日系企業も参入して、合弁ビジネスが展開されていきます。日本企業の活躍に大いに期待しています。

アフリカで増大するモバイル・マネー取引

国連及び業界団体の報告によれば、アフリカには約6億2100万のモバイル・マネー・アカウントと、3億5000万以上の金融テクノロジー・サービス顧客がいます。その取引件数は、367億件にも上ります。モバイル・マネー取引は、GDP比だと、アジアは7%、その他の地域は2%未満ですが、アフリカは10%を占めています。また、アフリカは、世界のモバイル・マネー取引の60%を占めていると推定されていて、その額は、2019年に4500億ドルだったのが、2021年には7014億ドル、翌2022年は8365億ドルに増加しています。

アフリカの地域別に見ると、取引額が最も大きかったのは、東部アフリカで4918億ドル。前年度比で23%超の増加です。その次は西部で2770億ドル。ここは22%もの増加を記録しています。東部と西部でアフリカ全体の9割以上を占めています。

IT関連スタートアップ事業の躍進

アフリカのIT関連のスタートアップ事業は年々増大しています。2017年総計でアフリカのスタートアップの資金調達額は、上位3位までの合計で4・3億ドル。トップ5は、上から南ア、ケニア、ナイジェリア、エジプト、ルワンダです。5位のルワンダは、2000年に策定した自国の成長モデル「VISION 2020」において、IT立国を宣言しています。

そのルワンダでは、「Zipline」と呼ばれるドローンによる輸血用血液の空輸が行われています。丘が多い国土では、車両や二輪車での輸送よりもずっと効率的です。世界的にも進んだ制度だと言えるでしょう。

さて、アフリカでは、若者によるＤＸを活用したスタートアップ起業がここ数年で目覚ましく進展しています。「StartUpAfrica」という、ケニアと米国にオフィスを構える団体は、アフリカの高校生以上の若者のスタートアップ起業を支援しています。ビジネスの教育や、若者起業家のネットワークを強化したり、イノベーションのコンペを行ったりと、様々な活動をしています。２０１１年から２０２２年までに２３００以上のスタートアップを立ち上げさせた実績を有しています。ＡＵやＧＩＺ（ドイツ国際協力公社）も支援しています。

アフリカのＤＸスタートアップ企業にはどのようなものがあるでしょうか。いくつか紹介します。

ケニアの「LAMI」は、Ｅコマースで起こる様々なトラブルを解決する保険事業を担っています。２０１８年の立ち上げ時にはＢ２Ｂのみを扱っていましたが、現在ではＢ２Ｃも扱っています。

ルワンダの「VIEBEG」は、２０１８年に立ち上げられた、医療製品の調達を担う企業です。現在、ケニア、ブルンジ、コンゴ（民）にも拠点を展開しています。コロナ禍で需要がますます増えているようです。

南アの「STITCH」は、フィンテック、Ｅコマース、マーケットプレイス等での売買に関わる決算システムを扱っています。

エジプトの「Bypa-ss」は、様々な医療サービスと患者の情報をつなぐ仲介役を担っています。

ナイジェリアの「GetEquity」は、ベンチャーキャピタル会社で、アフリカの1万以上の投資家が参加しています。

政治、社会面でのDXの役割

DXの影響は、経済分野だけではありません。アフリカの民主化プロセスにおいて、主にソーシャル・メディアに代表されるデジタル・プラットフォームが重要な役割を担うことがあります。アフリカにも影響を及ぼした2011年のアラブの春は、SNSを通じて準備され、実現に至りました。他方で、歪められた事実（フェイクニュース）、あるいは事実の一部のみを都合良く切り取った加工情報が社会に与える影響については、その弊害も指摘されています。SNSを含むメディア等の情報発信者だけでなく、それを受け取る側の意識改革も必要です。

アフリカならではの課題

ここまでの話からは、DXは、アフリカにとって希望に満ちたものに聞こえるかもしれませんが、現実は楽観できることだけではありません。特にアフリカでは、アクセスの欠如、価格の高騰、接続性の格差の問題があります。また、2020年版の国連の報告書によると、コロナ禍でロックダウンが大陸の各地で行われたため、約2億5000万人のアフリカの小・中学生が一時的に教育を受けられなかったそうです。これは非常に残念なことです。

デジタル化の過程では、アナログからの脱却や、共存のあり方について、苦悩する段階や世代が必ずあります。その一方で、アフリカの多くはアナログの完全な浸透を経ずにデジタル化に進んでいるため、そういった葛藤がむしろ少ないのです。技術は途中のプロセスを飛び越える「蛙跳び(leapfrog)」が可能なため、現在のアフリカは、むしろ有利な立場にいるのかもしれません。しかし、例えば、デリバリー・サービスがデジタルで連携できても、配送員が地図を読めなければ意味がありません。ユーザーのリテラシー向上は必須です。

非公式経済とDX

DXとモバイル文化は密接に関係しています。アフリカでは、自身の住所や銀行口座を持たず、非公式経済分野に従事する人口が多いです。そういうコミュニティに先進国のビジネスモデルや生活インフラの発展をそのまま当てはめることはできないでしょう。むしろ、携帯電話とモバイル・マネーのアプリがあれば、それだけでビジネスが成立するのです。ちなみに、仮想通貨取引所Lunoの発表によると、南アフリカのビットコインの人口あたりの保有率は推定15%で、世界第2位だそうです。さらに、年代で見ると、29歳以下の若者が全体の40%を占め、男女比だと女性が35%となっています。

AUのDX戦略

アフリカ連合（AU）は、「アフリカのためのデジタル転換戦略（The Digital Transformation Strategy for Africa（2020-2030））」を策定しています（図37）。その冒頭で、アフリカの若い人口構成に光を当てて、DXは、革新的、包摂的そして持続可能な成長の原動力と定義づけています。そしてそれが、雇用、貧困対策、不平等の削減、物品とサービスの流通の促進、さらには、アジェンダ2063とSDGsの達成につながると明言しています。この戦略では、分野ごとに問題の所在を特定し、それに対する政策提言と採るべき行動の提示がなされています。

若者と女性がカギ

DXは、アフリカの若者と女性たちの能力を最大限に引き出す最大の梃子となり得ます。したがって、支援や投資を行う場合には、彼らの活動を中心に据えるとよいでしょう。留意すべきは、アフリカの特性を十分認識しなければ成功しない点です。日本や欧米の、

図37　AUのDX戦略について開催された担当閣僚会合（2019年10月）

いわゆる先進国型のソリューションをそのままアフリカに持ち込んでも、うまく機能しない可能性があります。まずはパイロット・プロジェクト的な実証実験を繰り返しながら、手応えを確かめていく必要があるでしょう。

もちろん、決して楽な道ではないでしょう。しかし、これからは、ITネイティブなアフリカの若者たちが、成長株のこの分野でアフリカ経済を牽引することを期待したいと思います。

宇宙への挑戦

ルワンダで医療関連のドローンが空を飛ぶ話を書きましたが、アフリカは、空にとどまらず、宇宙開発にも乗り出しています。アフリカの宇宙産業は、驚異的なスピードで成長しています。

AU委員会の中に、教育・科学技術・イノベーション局という部署があります。その下部組織として、科学技術研究委員会があります。その名のとおり、科学技術の専門家たちが集まって、アフリカの最新技術の研究や議論を行っています。宇宙分野については、2017年に、AUが宇宙戦略を策定しました。それを実施するための「宇宙庁（Spece Agency）」がエジプトのカイロに設立される予定です。日本の宇宙航空研究開発機構（JAXA）もAU宇宙庁設立に向けた一つのモデルとなっていて、その組織のあり方や活動などについて研究されています。

AUの宇宙戦略は、地球観測、ナビゲーション及び位置情報の利用、衛星通信の利用、宇宙科学・

天文学が対象となっています。この戦略では、最初の1年でアフリカ大陸の持続可能な宇宙計画を開始し、5年でそのための技術と人的資源を確保した上で、10年で、アフリカの宇宙開発計画を世界のトップ10に位置づけることが目標に掲げられています。

これに先立つ2014年、AUはアフリカの科学技術・イノベーション戦略2024を発表しました。そこでは、「アフリカの宇宙を守る」ことを優先課題の一つとして、アフリカ各国に対し、GDPの1%を拠出するように求めました。この要請に全アフリカが応えると、23億ドルになる試算です。

さて、アフリカ各国の宇宙政策、開発の進捗具合はどうなっているのでしょうか。アフリカの22ヵ国に宇宙担当機関が設置されています。また13ヵ国が計44の衛星を打ち上げています。結構な数の衛星をアフリカが打ち上げていることに驚く方もいるかもしれません。厳密には、地上からの打ち上げというよりも、宇宙ステーションから放出されて衛星軌道に乗るケースがほとんどです。これらの衛星は、様々な国の技術供与を受けて製作されています。例えば、判明しているだけで、13機がフランス製、8機が米国製、5機が中国製、4機がインド製、そして2機が日本製です。日本も貢献していますが、最近では中国のシェアが拡大中です。また、ナイジェリアやチュニジアでは、有人飛行を目指した開発が進められています。

このように、宇宙開発に乗り出すアフリカに対し、世界の企業も黙ってはいません。航空宇宙・防衛博覧会が、アフリカで唯一、南アフリカで開催されています。2022年の博覧会には、地元南アフリカを含む世界20ヵ国以上から200以上の軍事企業が出展しました。特に、トルコ、中国、ロシアといった新興国からの参加が目立ったようで、防衛産業と宇宙開発の関係にも注目が集まります。

アフリカの宇宙開発への取り組みは、その将来を担う若者たちにも刺激を与えているようです。2022年9月には、アフリカ8ヵ国の大学生たちが、宇宙ステーションで任務を遂行中の3人の中国人宇宙飛行士たちと、ビデオリンクを通じて対話を行いました。エチオピアの男子学生は、宇宙飛行士が宇宙で何を食べているのか、どのようにシャワーを浴びるのか、と質問しました。ソマリアの男子学生は、宇宙の観光業の将来性について関心を示しました。また、エジプトの女子学生は、女性が宇宙飛行士になることは難しいのか、と知りたがりました。

そもそも、アフリカが宇宙政策を進める理由はなんでしょうか?

これは、我々人類にも共通する問いかけかもしれません。アフリカは、先進技術に追いつき、アフリカ大陸を世界における優位な地位に就かせ、繁栄させることを目指しています。例えば、通信技術を開発に役立てることもできます。日本を含む、アフリカ以外の国は、無限の潜在能力を持つアフリカを、この分野でどのように支援していくべきでしょうか。全人類のより良い明日に向けた責任の分担という、人間性の観点からの協力が問われているのではないでしょうか。

4 伝承と統計で見るコーヒーの世界とお茶のサスペンス

コーヒーの元祖は、アフリカと中東、どっち?

コーヒー発祥の地は、アフリカのエチオピアだと言われています。日本でも、モカ・コーヒーはよく知られています。しかし、モカというのはエチオピアの地名ではなくて、アフリカの対岸にある中東イエメンの港町の名前（MOCHA）に由来します（図38）。エチオピアやイエメンのコーヒーが、この港から世界中に輸出されていたので、モカと呼ばれるようになり、広まったのです。

その昔、エチオピアでヤギたちが赤い実を食べて興奮しているのをヤギ飼いの少年カルディが発見したの

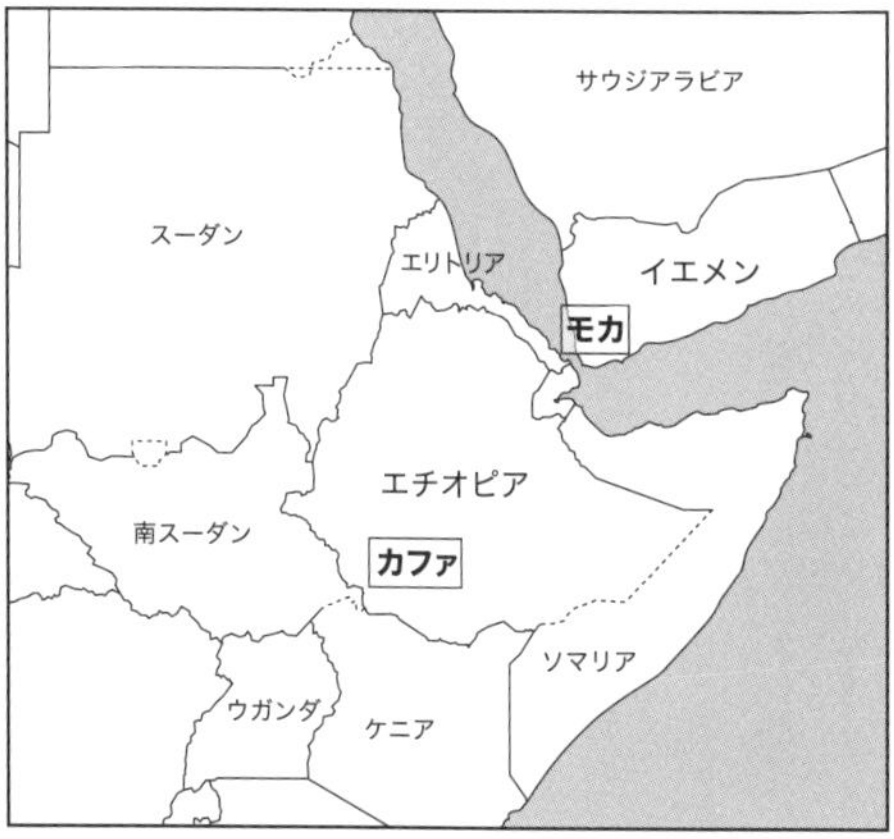

図38　モカとカファの位置

図40　コーヒー発祥の国らしく、スーパーには、コーヒーの生豆も豊富に並んでいます

図39　コーヒーを発見したヤギ飼いの少年カルディにちなんだコーヒーショップ「カルディス・コーヒー」は、アディスアベバ市内で展開中

が、コーヒーが人々に知れ渡って世に広がる始まりとされています。

しかし、コーヒーの発祥はエチオピアではなく、中東とする説もあります。カルディがコーヒーを発見した話は、もともとは中東にあった話をエチオピア風に脚色したのだという人もいます。その証拠に、カルディという名前（Kaldi）はアラブ風だ、との指摘もあります。

コーヒーの語源についても説が分かれます。赤い実を発見した土地がエチオピア南部のカファ（Kaffa、図38）だという説と、アラビア語でコーヒーを意味する（もともとはワインのような香りのする飲料を意味する）カフア（qahwa）だとする説があります。

また、カルディが赤い実を発見したのは13世紀とも言われますが、それ以前の9世紀末には、アラビアですでに医学的な使用をしていた記録もあるようです。いや、カルディは6世紀だ、との主張もあって、「元祖」争いの決着は、専門家による論証がなされるまで静かに待つこととしたいと思います。

国際コーヒーの日

10月1日が「国際コーヒーの日」だと知ってる人はどのくらいいるでしょうか。この日は、コーヒーとコーヒーに携わる人々に敬意を表して祝う日として、国際コーヒー機関が2014年に制定しました。なぜこの日がコーヒーの記念日なのかというと、世界最大のコーヒー生産国ブラジルの収穫・出荷のサイクルにより、10月1日から翌年の9月末までが「コーヒーの1年度」となっていて、その初日に当たるからです。

実は、国際コーヒーの日が制定される30年も前から、日本はこの日をコーヒーの日と定めてきました。1983年に全日本コーヒー協会が決定したものですが、それはやはりブラジルのコーヒー年度にちなんだものでした。日本は胸を張って、コーヒーの日制定の元祖と言えるでしょう。

世界のコーヒー・ランキング

世界のコーヒー生産量ランキングは、2022年1月に発表された国際コーヒー機関の統計（2020年）で見ると、第1位ブラジル、それにベトナム、コロンビア、インドネシアが続き、コーヒー発祥のエチオピアが第5位。この順位は過去数年にわたって同じです。消費量は、圧倒的に多いEUを除くと、米国、ブラジル、日本がトップ3です。この数値から、ブラジルは、生産量も消費量も世界トップクラスのコーヒー大国だということがわかります。また、日本人が相当なコーヒー愛飲国民であることも確認されます。おそらく、こだわり方も世界一流でしょう。

次に、1人あたりの消費量を見てみましょう。統計は輸入国と輸出国で分かれていますが、輸入国別で見ると、第1位はノルウェー。少し意外でしょうか。これに、スイス、EU、米国、そして日本と続きます。輸出国別では、ブラジルが圧勝。コスタリカ、ベネズエラ、エルサルバドルと続きます。第9位のエチオピアを除いて、トップ10はすべて中南米が占めています。コーヒー発祥の地であるアフリカ（エチオピア）や中東は、エチオピアの大健闘を除くと、正直パッとしません。日本だと、モカの他にもキリマンジャロといった東部アフリカ産の豆が有名ですし、コートジボワールを中心に西部アフリカ、また最近ではガボン、赤道ギニア、ルワンダ、ブルンジ、それにマラウイなどの中南部アフリカからの輸入も見られるようになりました。アジア、中東勢についても、生産・消費共に健闘しているインドネシアに加えて、ベトナム、トルコなども日本ではよく知られています。ありがたいことに、日本では、世界中のコーヒーが味わえますね。

お茶の話 ――「ティ」か「チャ」か、それが問題だ!

コーヒーに続き、アフリカでよく飲まれているお茶についても、少し異なる視点で見てみましょう。お茶は、日本やアジアの多くの国では「チャ」「チャイ」と呼ばれ、アルファベット表記で「C」から始まります(チャ:cha)。これが欧州に来ると、「T」表記に変わります(ティ、テ:Tea、thé 等)。では一体どこが「C」と「T」の境なのか。東洋と西洋、とザックリ分けることはできますが、実はそれぞれの地域でも混在していて、一概にそうとは言えないようです。例えば、欧州では、スペインまで「T」なのに、欧州西端のポルトガルだけはなぜか「C」という不思議が見つかります。

神は細部に宿ると言いますが、お茶の読み方の謎は細部に宿ります。「C」と「T」の棲み分けについて、主なところを見ると、「C」は、中国、日本、モンゴル、インド(一部「T」あり)、ロシア、トルコ、そして飛んでポルトガル。中東や、私が住んでいたエチオピアでは「シャーイ(chay)」と発音されるので、中東とその周辺までも「C」です。

一方の「T」は、英国、フランス、ドイツ、イタリア、スペイン、オランダといった欧州が中心になりますが、アジアのインドネシアやマレーシアを含むマレー語地域や、スリランカでも「T」(teh)が使われています。

「C」の発音は、北方中国語や広東語に由来します。大航海時代前の交易ルート、つまり陸路を中心とするシルクロード経由でお茶が伝播した名残です。

少年カルディとヤギによる世紀の大発見

一方の「T」は、台湾語やその対岸のアモイ（厦門）語由来の「テ（またはデ）（tê）」に由来し、これが「C」に遅れて大航海時代に、海路を中心とするルートで欧州に伝わったのです。大まかな整理はできましたが、では、なぜ「C」と「T」が混在する地域があるのでしょうか。

ナゾの正体は？

神秘の解明はここからです。それには欧州列強による植民地化の歴史が関係します。大航海時代、オランダはジャワ島、台湾を植民地とし、貿易を盛んに行っていました。このため、圧倒的に「C」が強いアジアにおいて、マレー語地域では、オランダが拠点を置いていた台湾語由来の「T」で表記されたのです。

一方、オランダの貿易競争相手のポルトガルは、マカオを拠点としました。すなわち、マカオからお茶を運んだポルトガルでは、広東語由来の「C」表記が使われたのです。

また、スリランカ（シンハラ語、タミル語）が「T」なのは、英国の植民地だったからです。

アフリカ通への一歩

世界的大発見のキッカケには、時には偶然の力も必要です。死海文書やラスコー洞窟の発見には、たまたま散策していた羊飼いの少年や、飼い犬を探して穴に落ちた少年のエピソードが語られます。コーヒーの発見にも、偶然のエピソードが関係するので、紹介したいと思います。

遠い昔、エチオピアに住むヤギ飼いの少年カルディは、放牧中のヤギが興奮して飛び跳ねているのを見て近寄ると、木になる赤い果実を食べていました。不思議に思って、町の大人たちにその話をしました。大人たちがその実を食べてみると、大人たちも興奮してきました。彼らを見ていた修道僧は、これは人間を惑わす悪魔の果実だ、燃やしてしまえ、と火に投げ入れました。すると豆がローストされて良い香りが漂ってきてさらに良い気分になってきました。これでは逆効果だと、慌てて水をかけて鎮火したのです。これがコーヒーの始まり、ということです。

後半は、少し出来すぎな気もしますが、こういうバージョンもある、ということです。覚醒作用があるため、修道僧たちが夜間の儀式を行う際に活用したとも言われています。

5 アフリカでの日常生活で「足るを知る」

アフリカ「あるある」

アフリカに行くと、首都の発展度合いに驚かれるかもしれません。しかし、実際に住んでみると、やはりインフラの状態が悪く、アフリカ「あるある」の期待に応えてしまうこともあります。一日に何度も停電する。その間に見ていたＤＶＤを機器が飲み込んでしまい、電気が回復しても機器から出てこなくなったこと。職場の同僚がプリンターの調子が悪いので、いろいろ開けていたら、機器のどこかの蓋を開けた拍子にネズミが飛び出してきたこと。地方で病気の子供を助けようと村人に応援を頼んだら、「そりゃ大変」と（病院ではなく）祈祷師の家に連れていかれたこと。お手伝いさんが洗っていたお皿を落として割っても、謝るどころか、「問題ない」と自信満々に言われたこと。私にとっては、もはや日常化し、驚きも、怒りも、落胆も、笑いもない、そんな麻痺した感覚になってしまっていますが、このようなことが起きるのもアフリカです。

停電しない日はない

アフリカの都会に住んでいて、一番困るインフラの一つは、間違いなく電気でしょう。地方に行けば、未電化の町や村もあります。しかし、電気がない首都はありません。ただし、すべての家庭に電気が来ているわけではありません。通常、日本人が住むような住居には当然電気がありますが、電力供給は非常に不安定です。特に、建設ラッシュが進む昨今、慢性的な電力供給不足の状態が生じています。同様に、水の供給が追いつかず、断水になることもあります。さらには、工事の過程で誤って電線を切ってしまったり、水道管を壊してしまって停電・断水が起きたりすることもあります。計画停電・断水ではないので、予測は不可能です。原因が何であれ、止まるときには止まるのです。止まったら、復旧するまで待つしかない。それがいつになるやら、誰もわからないのです。こういう「覚悟」のようなものが自分の中に芽生え、そして定着していきます。もちろん、程度の差は、国や地域によります。

エチオピアの首都アディスアベバでは、停電がない日はありません。停電すると、自動で発電機のスイッチが入り、ゴォーという音と共に自家発電が始まって、しばらくすると室内に電気が戻ってきます。そして、停電が直り、発電機から元の電源に切り替わる瞬間に、もう一度、一瞬だけ停電します。こうしたことが一日に何度かあります。オフィスでも、ホテルで食事をしていても、また国際会議をしている最中でも、どこでもそうです。そして、真っ暗になった瞬間には、「あっ」

という声が上がるだけで、誰も何もせず、待ちます。皆、心得たものです。考え方を変えると、日本にいて常時電気があって、夜帰宅して、スイッチを押すとパッと明るく電気がつくのは奇跡ではないかとさえ思えてきます。私たち日本人は、便利な世の中に慣れてしまっているのでしょう。しかし、アフリカで夜帰宅したときに、自宅の電気がつかないと慣れたはずの今でも時々脱力感を覚えます。

アフリカは、本当に電力が不十分なのか?

世界銀行の統計で見ると、やはりそうではあることがわかります。世界の電力へのアクセスは87%です。都市部と地方での開きなどはあるでしょうけれど、10人中9人は電気が使えることになります。東アジア・大洋州の国々の人たちは、ほぼ100%が電気にアクセスがあります。我々日本人の生活を考えてもそれはよくわかります。中東や北アフリカも同様です。つまり、アフリカでも北部の国々については、先進国並みに電気が使えていることになります。北部アフリカを除く、サブサハラ・アフリカについて見ると、43%とぐんと低くなります。世界平均の約半分です。国別に見ると、これも格差が大きいことがわかります。南アフリカやガーナなどの6ヵ国は、75%以上のアクセスがあります。75%未満から25%までが23ヵ国。25%未満の国は16もあります。

少し興味深い統計もあります。冷蔵庫を1年間稼働させるのに必要な金額（つまり電気代）が、

ＧＤＰに占める割合です。日本、米国、英国、フランスなどは、ほぼゼロです。アフリカでは、南アフリカが同様にゼロです。電力へのアクセスと関係がありそうですね。最も高額なのがリベリアで、なんと49％です。リベリアの電力アクセスは25％未満なので、厳しい状況なのがわかります。ちなみに、アフリカの中で20％台の国が３ヵ国、10％台が12ヵ国と、アフリカにとって電気へのアクセスがいかに大きな課題か、ということがよくわかるでしょう。

また、２０２２年6月に国際エネルギー機関（ＩＥＡ）が、世界エネルギー見通し（World Energy Outlook）の特別報告書として、「２０２２年版アフリカ・エネルギー見通し（Africa Energy Outlook 2022)」を公開しています。その中で「ロシアによるウクライナ侵攻が食料、エネルギーその他一次産品の価格高騰を招き、コロナ禍で困窮するアフリカ経済をさらに悪化させている。今日のエネルギー危機は緊急事態であり、より廉価でクリーンなエネルギー源の拡大を急がなければならない。世界の現代的エネルギーへのアクセスの目標を達成するには、年間２５０億ドルの投資が必要である。これは今日の全世界のエネルギー投資の1％、すなわち、液化天然ガス（ＬＮＧ）の大型ターミナルを建設する費用と同等である。アフリカでエネルギーへのアクセスに関する戦略を策定しているのは25ヵ国のみであり、国際社会の支援が必要」と警告しています。同時に「アフリカにおけるエネルギー・サービスへの需要は急速に増大しており、支払い可能な供給を維持することが急務である。アフリカの人口と収入が増加する中で、現代的なエネルギーへの需要は２０２０年から10年間で3割以上増加する」と推計しています。太陽光発電をはじめとする再生可能な電源が、アフリカ経済の未来を支えるものになることは間違いありません。

買い物のルール

アフリカでの生活で、日用品や食料はどのように調達するのでしょうか。どの国でも、首都のような大都会であれば、大抵はスーパーマーケットがあって、現地のものから輸入品までたくさんの商品が並んでいます（図41‐45）。また、道路沿いに並ぶ八百屋さんなどもよく見かける風景です。プラスチック製のバケツや簡単な家具なども路上で売られています。また、信号で車を止めると、両手にたくさんの商品を持った人が売りにやって来ます。ティッシュペーパーやハンガー、サングラス、中には子犬や小鳥などの動物を見せに来る人もいます。

スーパーでは、日によって目当ての商品があるときとないときがあります。今日大量に入ったから、では明日また来よう、と思っていると、翌日にはもうなくなっていることもしばしばです。私がお気に入りの南アフリカ製の果汁１００％のジュースが店頭に並んだのを見つけて喜んでいたとき、ヨーロッパ人らしき買い物客がそのジュースをカート一杯に入れているのを目撃しました。皆、考えることは同じです。現地のネットワークで、今、どこで何が手に入るのか、の情報を聞きつけたら、一目散にその店に行かなければなりません。そして、迷わず買います。なくなるときは、本当に棚が空っぽになるのです（図46・47）。そして次にいつそれが入荷するかはわかりません。ちなみに、これを書いている現在、市内のスーパーからキッチンペーパーが1ヵ月ほど消えています。

図41

図42

アディスアベバ市内のスーパー
生鮮食品から高級品まで並ぶ（図41-45）

図 46

図 47

アディスアベバ市内のスーパー
昨日まであった商品が突然姿を消す（図 46-47）

図 43

図 44

図 45

モノはあるが、欲しいモノがなかなかない

スーパーや道ばたの商店には、たくさんのモノにあふれているように見えます。非常に豊かな生活ができるのではないか、と思ってしまいます。確かに商品はたくさんあるのです。しかし、実際に生活をする上で、本当に必要なものを探そうとすると、意外と難しいことがわかります。結局、自分が欲しいものはあまりないのだということに気づきます。そして、いつもスーパーでは同じ商品ばかりを買うことになります。その商品が入っていない日は、他にたくさんのモノで棚があふれていても、結局は手に取らないことが多いのです。消費者としての贅沢な悩みなのかもしれません。

図 48

図 49

アディスアベバ市内のスーパー
輸入物のチョコレート（図 48・49）

スーパーのチョコレート・コーナーで輸入物の美味しい老舗の板チョコが大量に並んでいるのを見つけました（図48）。いったんは手に取ったものの、値段を見て、棚に戻しました。日本円で1枚1500円（図49）。こんなに大量にあるのに。いや、あっても誰も手が出せないから大量に並んだままなのかもしれません。

アフリカ通への一歩

帰国したら歯医者さんに直行！

休暇が近づくと、もういくつ寝ると、と指折り数えてしまいます。日本への一時帰国に備えて、おそらく誰もがするのは、「やることリスト」を作成することでしょう。そのリストの中には、買い物リストや食べたいもののリストなどが含まれるでしょう。私は、その中に歯医者さんが必ず入ります。これ、共感いただける方も結構いるのではないでしょうか。フランスに住んでいたときは、現地の歯医者さんに通っていました。パリでは、日本人の歯医者さんもいましたし、日仏の通訳を付けてくれる歯医者さんもありました。しかし、途上国だと、技術や衛生の問題も含めて、日本並みの治療を受けることが簡単ではない場合があります。したがって、日本に帰るまでは、絶対に歯の問題が生じないように気をつけています。気をつけていても、休暇の1週間前に、歯が欠けたことや、詰め物が取れたこともありました。

コートジボワールに住んでいたときは、住居が入っている集合住宅の地上階に歯医者さんがあり、レバノン人の歯科医がしっかり診てくれました。レベルは先進国並みでしたので、安心してお任せしました。しかし、そういう先生は大人気なので、次の予約を入れるのが至難の業でした。

少し次元が異なりますが、新しい国に着任してすぐに考えるのは、散髪をどこでお願いするか、です。日本人の美容師さんが現地にいて、自宅まで出張カットに来ていただけることもありました。これは大変助かります。エチオピアでは、家の近くの床屋さんでお願いしています。ものの10分で終わります。シャンプーをお願いしたときは、イスを後ろに倒して、変形した洗面器のようなもので水を受けるセットをして、あとは手桶でお湯を流してくれました。シャンプーは髪だけでなく、顔と耳にもまぶし、それを手桶のお湯で顔の真上からジャーッとかけるのです。最初は少し驚きましたが、しっかり目を閉じ、息を止めていれば大丈夫。

いつもどおりに、と黙って任せていると、時々驚くほど短くカットされることもあります。まあ、たまにはそれも面白いからいいか、と思っています（笑）。

第4章 アフリカの社会・文化・生活

1 アフリカの諺

人類の英知の源はアフリカにあり

アフリカが人類発祥の地であることは、科学的にも証明されています。エチオピアの国立博物館には、世界的に有名な、今から318万年前の化石人骨「ルーシー」（アウストラロピテクス・アファレンシス）が保管されています。本物の骨は博物館の奥にしまわれていて、一般訪問者はそのレプリカの展示を見ることができます。彼女（ルーシーは女性）は、体長（身長）1メートル強、体重30キログラム弱の小柄な体格で、二足歩行をしていたことがわかっています。ルーシーの近くに幼児の化石が見つかったことから、ルーシー妊娠説や子連れ説（この化石は3歳児とも言われる）もあったのですが、幼児の方の化石は年代が異なることがわかったため、こうした説は恐らくは間違いとされています。ちなみに、ルーシーと命名されたのは、調査隊が大発見に酔いしれていたときに流れていたのが、ビートルズの「Lucy in the Sky with Diamonds」だったからと言われています。そこからどうやって命名に至ったかは、当時の調査団員たちがはしゃぎ過ぎていたため記録に残せていないそうです。

人類の源アフリカには、人間性（humanity）の豊かさがあります。そして、たくさんの教訓や英知を含んだ諺《ことわざ》があります。日本人も共感できるものや万国共通のものも多いと思います。その中から、幾つかの例を紹介します。

「山と山は出会わないが、人と人は出会う」

個人的に好きな諺です。動かない山と違い、人と人は巡り会うことができる、という意味ですが、別の解釈もあるようです。それは、人と人はどこかで再び出会うのだから、相手の気分を害することのないよう気をつけなさい、という意味です。人間関係の重要性や機微といった、生きるための知恵はこうして受け継がれていくのですね。

「ヤギを川に連れていくことはできても、水を飲ませることはできない」

土地によって、登場する動物が変わるのも合点がいきます。「馬を水辺に連れていくことはできても、水を飲ませることはできない」と全く同じコンセプトの諺ですが、アフリカに行くと、馬がヤギに替わります。

まだまだある、人生訓

「愚か者は、川の深みを両足で確かめる」

「石橋を叩いて渡る」に近いのでしょう。一気に両足ではなく、片足ずつ用心深く、との戒め。

「速く行きたければ1人で行け。遠くへ行くときは仲間と行け」

読んでそのままの意味。仲間の大切さ、そして協力していくことの大事さ。

「倒れたところではなく、滑ったところを見よ」

失敗そのものよりも、その原因を確かめよ。さもなくば、同じ間違いを繰り返すことになる。

「人生は霧か雲の如し」

アフリカ人はよく「人生は（とても）短い（life is (too) short)」と言います。だからもっと楽しもうと。

「神は英雄を見放さない」

正義は勝つ！

「ネズミを火に飛び込ませるものは、火よりも熱い」

これを知って、私はうなりました。

「他人の足を借りると、その人が行きたいところへ導かれてしまう」

寓話が作れそうです。

「以前の食事を思い出しても子供の空腹は満たされない」

過去の成功を自慢しても、現在の問題を解決することはできない、との意味です。

「2人だけの秘密はそのうち秘密ではなくなる」

日本でも「ここだけの話です」と言った瞬間に広まることがありますよね。

「約束は負債である」

深いですね。約束を破る人は、借金も踏み倒すのでしょうか。

「たくさん旅をする子供は、中程度の大人よりも賢い」

私は人生そのものが旅だと思っています。

「ダンスが下手でも結婚はできる」

おかげさまで、私は結婚できました。

「空がどんなに暗くても、いつかは晴れる」

「鶏が時を告げなくても、夜は明ける」というのもあります。明けない夜はない！

「人は王になるために生まれるべきであり、王座を巡って戦うために生まれるのではない」

現代の様々な紛争に関与している人々に聞かせたい。

「鞄が壊れたら、肩が休まる」

こういうポジティブな考え方、好きですね。

「虎は、自分が虎であることを主張しない」

立派な人は説明不要、ということでしょう。ところで、アフリカにはライオンやヒョウはいても、虎はいません。しかしここでは虎（tiger）が使われているのが興味深いです。

「手を洗う子供は、王様と食事ができるようになる」

前もって必要なことを身につけていれば、将来成功する、という趣旨のようです。パンデミックの時代だからこそ、手洗いを実践してほしいです。パンデミックでなくとも、もちろん必要ですが。

アフリカ通への一歩

「アフリカの水を飲んだ者は、アフリカに戻る」

この諺（というか言い伝え）は、アフリカに足を踏み入れたことがある人なら一度は聞いたことがあるでしょう。そして、多くの人が共感するのではないでしょうか。一度でもアフリカの水を飲む（アフリカに関わる）と、その後も縁がある、ということです。これは「袖すり合うも、多生（他生）の縁」に近い感覚だろうと思います。また砂漠の民は、一度の出会いを大切にする（助け合い、敵対しない）と

アフリカ通への一歩

図 50　エチオピアに水源を有するブルーナイル

いいます。砂漠という厳しい条件下では、常に助け合いが必要であり、いつかどこかで再会する可能性があることを示唆しているものと思われます。

なお、「アフリカの水」の言い伝えは、ナイル川流域では地域色を伴って「ナイルの水を飲んだものは、ナイルに戻る」というバージョンに修正されます。

2 挨拶のインテリジェンス

挨拶は世界を平和にする

外国語会話の勉強を始めるとき、最初に覚える言葉は挨拶の「こんにちは」でしょう。英語では「ハロー（hello）」、フランス語では「ボンジュール（bonjour）」というように。

挨拶は会話の基本、いえ人間関係の基本と言えるでしょう。挨拶は、初対面の他人同士が関係を構築する扉を開く魔法の手続きです。また、既知の相手でも、挨拶ひとつでお互いの精神状態や体調がわかることもあります。ケンカした後には、関係を再構築するきっかけを作る力もあります。そして、無難に思われる定型のやりとりの合間に、相手との距離感を見極めながら駆け引きをします。単純な一連のフレーズの中に、様々な意図やメッセージが込められ、それを解読し合うのです。それが挨拶です。

そんなに難しく考えながら挨拶をする人はいない、と反論があるかもしれません。しかし、何気なく発している「こんにちは」のやりとりで、世界中の人同士が良好な関係を構築し、維持し、発展させているのではないでしょうか。時に、それが個人や社会間の争いを避ける予防策にもなり、また紛争を解決し、平和を形作っていくことにも貢献するかもしれません。挨拶に笑顔が伴うと、さらに効果が倍増します。

まずは笑顔と「こんにちは」

外国に行くと、自分はその土地に突然来た異邦人になります。まずはその社会に受け入れられる必要があります。そのときに必要なのが、挨拶と笑顔です。最初は不審な顔で見られます。時には恐怖さえ感じることもあります。無理もありません、相手はこちらを警戒しているのですから。そんなとき、思い切ってニコッと笑ってみましょう。手を挙げて、現地の言葉で「こんにちは」と言ってみましょう。相手も笑い、「こんにちは」と返してくれるでしょう。笑顔は敵意がない証拠ですし、下手くそでも頑張って彼らの言葉で挨拶すると、彼らも安心するはずです。また、笑顔や挨拶は、投げかけられると無意識に返してしまうものです。このやりとりが一往復できれば、お互いの存在を認め合ったことになります。

ここまでが第一歩です。しかし大きな一歩なのです。そしてここからが、インテリジェンスの始まりです。

「あなた」から「共和国」まで元気か？

日本の結婚式の来賓挨拶で、「挨拶は短く、幸せは長く」と言って締めくくる場面にしばしば出くわします。アフリカでは、挨拶が長いことがよくあります。特に親しい間柄だとそうなります。コートジボワール在勤中に、この長い挨拶を知りました。

「やあ、元気か？」「元気だよ。君は？」「元気だよ。君の奥さんは？」「元気だよ。君の奥さんは？」「元気。ありがとう。」

ここから、お互いの子女、両親、兄弟、共通の友人等の息災を確認する質問の往復が延々と続いていきます。

これを面白いね、と別のアフリカの国の人に話したところ、そんなもんじゃない、自分の国ではもっと長く続くことがある、と言って、ロングバージョンを教えてくれました。それは、以上の登場人物に加え、仕事、週末、健康、そして大統領、さらには国の調子を伺うまでに広がっていったのです。「(お前の)共和国は元気か？」と。

そこまで続くか？と驚きました。ケースバイケースで長短はありますが、まずお互いと、その人が属する地域社会の無事を確かめ合うことが、個人同士、地域同士、ひいては国同士の調和を保つためにも必要なのでしょう。しかも、それは自然なリズムと間合いで行われるのです。

アフリカでは、挨拶が長いほうが幸せも長く続くのかもしれませんね。

儲かりまっか？

フランス語での仲間同士の挨拶に、「サヴァ？（Ça va ?）」というのがあります。「やあ元気？」という感じです。聞かれた方も、「Oui, ça va（うん、元気）」と答えるのが一般的です。ところが、西アフリカの仏語圏の地元の人同士のやりとりの中で、少し異なるバージョンがあるのに気づきました。「Ça va ?」に対し、「Ça va un peu」と答えているケースが結構あるのです。「un peu」は「少し（a little）」の意味なので、「少し元気」ということですが、これではあまり元気が良さそうには聞こえませんね。中には、「Ça va」を省略して、「un peu」とだけ答えることもあります。すなわち、「元気？」「少し」というやりとりです。元気が少しなら、「風邪でも引いているのかい？」と心配してもよさそうですが、そんな様子はありません。

この謎を解くために方々に聞いて回ったのですが、彼らにとって当たり前すぎるこのやりとりの理由を説明する術など、彼らにはないのです。もう長年の習慣なのだ、ということで納得するしかなかろう、と諦めかけたとき、その解を与えてくれた人がいました。

その人によれば、「un peu」を付けるのは、（健康というよりも）「経済的に良い」ことを指す、というのです。つまり、「儲かりまっか？」「ぼちぼちでんなぁ」の「ぼちぼち」に相当するのでしょう。なんだ、日本人も知っている挨拶ではないか。言われてみれば納得です。

何事も、まずは「ボンジュール」から始めるべし

恥ずかしながら、私が駆け出しの頃の、挨拶にちなんだ失敗談を紹介します。最初の勤務地のコートジボワールで、ちょっとした交渉を任されたときのことでした。こちらから先方のオフィスに出かけて行って、日本の立場を相手に認めてもらう必要がありました。事前に頭の整理をして、論法も考えて、いざ敵陣へ！（敵陣、と身構えたところからして良くなかったのですが。）

私は、先方のオフィスに着くや否や、出迎えた相手と握手を交わし、いきなり要件を切り出しました。あらかじめ、来訪の目的は伝えてあったし、こちらの立場も大体相手にはわかっていました。そういう状況で一気にまくし立てたのです。「とにかく行って何とかしてこい」という上司からの指示を受けて、20代後半の青二才が、アフリカの外務省の百戦錬磨の局長に対峙したのです。

先方は一体どんな顔をして私の説明を聞いていたのでしょうか。話し終えた私に対し、先方は言いました。「用件はわかった。だが若者よ、まずボンジュールだろう。」

このとき、私はきっと情けない顔をしていたに違いありません。先方の言うとおりです。私は、根本的なミスを犯したのでした。アフリカでの最初の交渉は、相手が良識のある立派な方だったこともあって、こちら側の立場を理解してもらい、胸を撫で下ろして帰ることができました。でなけ

れば、きっと失敗していたでしょう。このときの失敗、いや失態は忘れません。どんなに急いでいても、まず、挨拶。そして、フランス留学中のことを思い出しました。

ホストファミリーのマダムが運転する車に乗って日帰り旅行に行ったとき、郊外の標識も何もないところで道に迷いました。マダムが通りがかりの人に道を聞きました。

「〇〇に行くにはどっち?」

相手の説明では、「あっち」だということがわかり、その方向に暫く進んだのですが、どうも違っていたようでした。マダムが「あの人は不親切ね」と呟いたとき、同乗していた息子が言いました。

「ママン(お母さん)が初めにボンジュールと言わなかったからだよ」

挨拶もなく、ぶしつけに道を聞いたこっちが悪い、ということでしょう。フランス人同士でもこのようなことが起きるんだなぁ。

道を貰えないと家に帰れない!

コートジボワールでは、地方に小規模な学校や診療所等を建てる支援を行う業務に携わっていたため、頻繁に地方に出張していました。時には道なき道を四輪駆動車で進み、電気も電話もない村に行き、地元住民やNGO関係者と協力しながらプロジェクトを実施するのです。本当に支援を必要とする人々に直接届く。こうした活動は、一つ一つの案件単価は少額ですが、効果は高いのです。電話のない村との連絡は、その村に一番近い町の電話局にこちらから電話して、目的の村まで伝令を走らせて伝言してもらいます。「何月何日の何時頃に行くので、そのときに打ち合わせをしよう。現場視察をしたい」というように。これで連絡がつくのか、正直心許ないのですが、案外うまくいくものです。失敗したことも、もちろんありましたが。

現地に着くと、物珍しげに出てきた村人たちと共に、現場責任者が出迎えてくれます。着いたら「早速現場に直行!」ではありません。まずは、村の長老に挨拶です。村の中心に日陰を作る大樹の下に集まり、旅の報告を行います。村の青年が仏語と現地語の通訳を務めてくれます。この儀式のようなやりとりを経て、ようやく作業を行う許可が長老から下りるのです。やはり、挨拶は大事です。

ひと仕事終えて、さてそろそろ帰路につこうとするのですが、そう簡単にはいきません。まず、食事に呼ばれます。彼らとしては、お客をもてなすのは礼儀ですから、どんなに急いでいても、この厚意を受けないわけにはいきません。しかし、いったん受けると、これが長時間に及ぶのです。食事後に帰ろうとしても、長老に挨拶をしてからでなければ帰ることはできません。ところが、長老は昼寝中だというのです。長老の休息を、村人の誰も遮ることはできません。したがって、長老が目覚めるまで待たなければならないのです。帰りの時間が気になり始めます。「きっと途中で陽が落ちて真っ暗になる。日本製の四輪駆動車とはいえ、暗闇の未舗装のデコボコ道を走るのは容易ではない」などなど、心配しても無駄です。とにかく待つしかないのです。そして、ようやく長老が出てきます。村に到着したときと同じような形で、村での作業結果を報告し、辞去の挨拶をします。

「なんだ、今日はうちの村に泊まっていかないのか？」

ええーっ、とこっちが驚きます。村人も、そうだそうだ、泊まっていけ、と長老に同調します。しばしのやりとりの後、ようやく理解を得られるのです。

コートジボワールでは、このときに「（帰りの）道を下さい」とお願いするのが慣わしです。しかし、「まだ早いじゃないか」と再び引き留められます。こういうやりとりが繰り返された後、結局3回お願いすることになります。そこまでやれば、ついに「では、道をあげよう」と言って、帰ることが許されるのです。このとき、大都市アビジャンなどでは、少し気の利いたアレンジが加わることがあります。

「わかった。道はすでに求められたので、半分あげよう。」

これは、次に再訪することができるように、残りの半分はキープしておく、という意味だそうです。同じ西アフリカでも、これが通用する国としない国があるのも面白いです。そして、私がこの話を中東出身の知人に話したところ、同じ挨拶の習慣があることがわかりました。まだまだ、調べていけばいろいろと楽しいことがわかりそうです。

図 51・52　エチオピア南部で訪れた村の子供たち

3 アフリカで唯一植民地化されなかった不思議の国、エチオピア

イスラエルとアラブの結婚 ——エチオピアの誕生

エチオピアの誕生の歴史は、旧約聖書の列王記や、6世紀頃に書かれたと言われている年代記『ケブレ・ネガスト』（諸王の栄光の物語）に、神話タッチで描かれています。紀元前1000年頃、イスラエル王ソロモンと、イエメン・シリア辺りのアラビア一帯を治めていたシバの女王マケダ（他の呼び名もあり）の子、メネリク1世が、母（マケダ）が保有していた領土の一部（現在のエチオピア）を与えられ、初代国王として統治したのがエチオピアの始まりとされています。

賢王として知られていたソロモン王のイスラエルは当時、古代エジプトと度重なる戦争をしていました。戦争を有利に進めるため、アラビア一帯を治めていた女王マケダとの同盟を求めます。才色兼備な女王として誉れ高きマケダは、大規模な隊列を組み、イスラエルに入城します。おそらく両者は初対面からビビッと来たのでしょう。ソロモン王がマケダに、宮殿のものに手をつけないことを約束させるのですが、宴会の後、喉が渇いたマケダは宮殿の水瓶の水を飲んでしまいます。約

束違反をしたマケダをソロモンは咎め、自分に身を委ねさせ、2人は結ばれます。実際どうだったか、本当のところはわかりませんが、そんなこんなで2人は男子（メネリク1世）を授かります。ここからエチオピア歴代の王による統治が繰り返されるのですが、それは世界史全般でも見られるような、その時代時代の支配者たちによる天下取りの歴史です。

ところで、「エチオピア」は、古代ギリシア語で「日に焼けた人々」を意味する「イティオプス」が訛ったものと言われています。エチオピア人の中には、自分の肌の色を「赤」と表現する人がいます。エチオピア人を見ていると、なるほど、黒人ではなくイティオプスだな、と思うことがあります。

「アーク」の秘密

古代イスラエルといえば、旧約聖書に登場するモーゼの十戒を思い起こす人もいるでしょう。十戒の石板を収めた「アーク」の秘宝を探し求める冒険アクション映画も有名です。ソロモン王が保有していた「アーク」は現在、エチオピア北部のアクスム（古代アクスム王国として栄えた）にある（ということになっています）。もともとはイスラエルにあったものが、どうやってエチオピアに移動したのでしょうか？

それは、初代エチオピア王メネリク1世が、父ソロモンの目を盗んで持ち出したからです。神話には、メネリク1世がドラ息子だったどうかは書かれていませんが、ある日、メネリク1世が父ソロモンに会いにイスラエルに帰郷します。そして自国（エチオピア）へ帰る際に、アークを密かに運び出します。父が大事にしていた先祖代々伝わる家宝を、やんちゃ坊主が黙って実家から勝手に持って行ったパターンです。しかし、家庭内のゴタゴタも、さすがに賢王ソロモン一家の話ともなれば、極めて詩的に描写されています。無事にイスラエルを旅立ち、エチオピアへの帰路についた我が子を見送った父ソロモンは、その夜空に一筋の流れ星がイスラエルからエチオピアに向かって流れるのを見ました。この瞬間、父は、息子がアークを運び出したことを悟るのです。『ケブレ・ネガスト』はアムハラ語で書かれたものですが、以前、アディスアベバ大学の教授が独自に英語訳したテキストを読ませていただく機会があったため、その内容を知ることができました。ここには、歴代の王の話に加えて、布教と共にアフリカに勢力範囲を伸ばした西洋との接点や、宗教的な儀式なども書かれています。

現在、「アーク」はどこに？

毎年1月19日には、「ティムカット」というキリスト教の祭（イエスが洗礼を受けたことを祝う）がエチオピアの全国各地で行われます。年に一度のこの祭の際に、くだんの「アーク」が大衆の面前に運び出されるのです。とはいえ、アークは厳重に包まれ、神輿《みこし》に乗せられているので、中身の実物を拝むことはできません。この中に入っているのがそうだ、と言われれば、信じるしかないのです。このアークを管理している聖職者は、生涯アークを守らなければならないそうです。つまり、その秘密は他の誰にも知られないシステムとなっているのです。なお、アークのレプリカは、「タボット」という箱に入れられて、全国の教会で保管されています。これを聞いて、私は仏教の仏舎利を思い起こしました。

アムハラ語

エチオピアには、多数の民族と言語がありますが、公用語は、日本人にはあまり馴染みがないアムハラ語という言語です。アフロ・アジア語族セム語派に属する言語です。アフリカの言語には珍しく、独自の文字を有します。例えば、「アフリカ（Africa）」をアムハラ語で書くと、「አፍሪካ」となります。なお、公用語とは別に、作業言語として英語が指定されていて、小学校から英語を勉強します。高等教育では、英語だけの授業もあるのだそうです。

日本語の発音とよく似たアムハラ語で、ほぼ真逆の意味を持つ単語がいくつかあります。例えば、レストランで食事をするとき、東京でサラリーマン生活にどっぷり浸かった私なんかは、席に着いた途端にメニューを見て、まずビールを注文し、ジョッキが来たタイミングで料理を注文、乾杯してビールの最初の喉越しを味わったところで一皿目が運ばれてくる、という小気味良い流れを求めたくなります。しかし、ここではそういきません。むしろ彼らからすれば、この外国人は何て無駄に生き急いでいるのだろう、と不憫に思われていることでしょう。

私のようなせっかちな人種がこのときによく使うのが「トロ、トロ」（急いで、の意味）。日本語だと、真逆の「ノンビリ」の意味に聞こえ、あまりせかしているようには思われないですね。つい日本語で「早く来い！」とでも言おうものなら、相手は二度と来てくれなくなります。「コイ（koi）」とは「stay」、つまり、動くな、の意味だからです。外国語会話は、気持ちと勢いである程度通じるものですが、駄目なものはダメですね。

独特なカレンダー――エチオピア暦

エチオピア国民の多くは、東方正教会の流れをくむエチオピア正教会に属する敬虔なキリスト教徒です。カトリック、プロテスタント、そしてイスラム教の信者も増えていますが、それでも、エチオピア正教会の影響は依然として強いです。

エチオピア正教は、333年、アクスム王国で信仰が公認されたと言われ、5世紀にはエジプトのコプト教会の傘下に入りました。帝政時代は国教とされましたが、今では政府は政教分離政策をとっています。暦の数え方が旧暦に倣っているのも、正教会の影響です。すなわち、我々が普段使っている西暦（グレゴリウス暦）と約7年のズレが生じています。これはユリウス暦とほぼ同じですが、4年に一度の閏年《うるう》を計算に含めるので、コプト暦と同じと考えるのが正確です。例えば、西暦2022年7月は、エチオピア暦ではまだ2014年です。

新年はいつ始まる?

我々の西暦とエチオピア暦のズレが「約」7年と書いた理由は、1年の始まりが1月1日ではないからです。エチオピア暦では、9月11日から1年が始まります。閏年の場合は、1日ズレて9月12日から、となります。つまり、西暦2022年9月11日は、エチオピア暦2015年を迎えた新年の最初の日となるのです。

ところで、9月11日と聞いて、9・11の同時多発テロを思い出す人もいるでしょう。笑えないエピソードとして、まさに米国の世界貿易センターが攻撃された日、在米のエチオピア人数名が新年を祝っていたところに米国捜査当局が踏み込んできた、というニュースがありました。もちろん、彼らはテロとは無関係で、誤認捜査だったのですが。

当然ながら、エチオピア人にとって、9月11日は重要な年の節目で、祝日です。逆に、1月1日は平日です。エチオピア在住の日本人には少し物足りないお正月です。同様に、日本在住のエチオピア人にとって、日本の9月11日は物足りないに違いありません。

今は何月でしょう?

さらに不思議なのは、月の数え方です。エチオピアの1年は、我々と同じ365日ですが、13ヵ月から成るのです。1ヵ月は毎月30日きっかり。すなわち、5日分の端数(閏年は6日)が生じることになる計算です。これが13ヵ月目に数えられるのです。つまり、13番目の月だけ異常に短いことになります。13ヵ月にはそれぞれに名前が付いています。これもコプト暦と同様です。9月11日から始まる新年の最初の月の30日間は、「マスカレム」の月、と呼ばれます。その月に生まれた女子にマスカレムという名を付けることがあります。1年が始まり、花が咲き始める、日本で言えば、新学期や新年度のイメージがあるのでしょう。不思議な習慣だなと思ったりもしますが、日本にだって元号があり、昔は旧暦を採用し、また月の名称も睦月から師走まであったではないですか。

しかしながら、月の編成まで異なると、日常生活も少し難しくなります。卑近な例では、クリーニングを出して、控えの紙をもらっても、そこに書かれている受取日がいつなのか。現地の人に見せると、「来週の水曜日」などと教えてくれるのですが、万が一、相手の言うことが間違っていても、それがわからず、従うしかありません。

今何時?

それだけではありません。何と、1日が始まる時間もズレているのです。エチオピアの1日は24

時間で、世界標準と同じですが、その中に、2種類の時間があるのです。エチオピア時間は、東アフリカ標準時（EAT）と同じなので、世界標準時（GMT）プラス3時間、よって日本との時差は6時間です。日本時間の正午は、エチオピアの午前6時となります。私もエチオピアにいるときはこの時間で生活しています。しかし、現地の人は、午前6時を0時、1日の始まりとしているのです。つまり、国際的なエチオピア時間と現地の人々の時間は、6時間ズレているのです。彼らの時計の針は、本当にそのようになっています。よって、現地の人と約束を交わす際には、「ヨーロッパ時間で何時、つまりローカル時間（エチオピア時間）で何時」とダブルで確認する必要があります。今はかなり国際的な時間で生活することが可能になりましたが、以前、家に通いで来ていたお手伝いさんに対して「明日朝8時に来てね」と言う場合、「2時」と伝えていました。

なぜ6時間のズレがあるのでしょうか。それは、朝日が昇る時間（午前6時前後）が1日の始まりだからです。なるほど、そのほうが人間本来の行動から理にかなっている気がします。ちなみに、これを、当地に来て驚いたことの一つとして話していたら、そこにいたケニア人が、「ああ、それならうちの田舎もそうだよ」と。二度ビックリ！

エチオピアの国旗に込められた意味

エチオピアの国旗は19世紀末から現在まで、実に10回以上もの変遷を経ています。常に変わらな

図53　エチオピアの国旗

いのは、緑、黄、赤の3色。3色の国旗は世界的にも多いのですが、この色の組み合わせは、「エチオピアン・カラー」と呼ばれることもあります。この3色は、緑：肥沃な土地、黄：平和・民族・宗教の調和、赤：国土の防衛のために流された血、を意味します。

旗の中央には、国章（ナショナル・エンブレム）が置かれています。帝政時代はここにユダヤの獅子(ライオン)が描かれていました。

現在の国旗が制定されたのは1996年。エチオピアンな3色はそのままで、国章には、光線を発している金色の五芒星がデザインされています（図53）。五芒星という言葉はあまり馴染みがないかもしれませんが、紀元前3000年頃の古代メソポタミアや古代エジプトの時代からあるとされています。日本では、陰陽道で魔除けとして用いられていたそうです。これは、ソロモン王の紋章が原型と言われています。この星は、エチオピアの人々の結束と愛国心を表しているのだそうです。

ちなみに、五芒星に似たものとして、ユダヤ世界に関連するものに六芒星があります。これは「ダビデの星」と言われ、イスラエルの国旗に用いられているものです。

国旗のデザインについては、エチオピアの国内世論でも賛否あるようですが、自国の象徴について議論が行われること自体は大変良いことだと思います。

アフリカ通への一歩

2回目のミレニアムはエチオピアで

西暦とエチオピア暦には約7年のズレがあることから、私は幸運にも、2000年のミレニアムを人生で二度祝うことができました。西暦2000年、世界中がミレニアムを祝いました。次はあと1000年後、と普通は考えるものです。エチオピア暦では、西暦2007年が「2000年」のミレニアムとなり、特に「元日」を迎える9月には大きな盛り上がりを見せました。西暦2000年にコンピューターが狂って世界が混乱する、というコンピューター2000年問題（Y2K）があったのを覚えているでしょうか。エチオピアでは、Y2K問題がエチオピア暦のミレニアムのときに起きるかもしれない、と懸念されました。天災は忘れた頃にやって来る、といいますが、幸いなことに何も起きませんでした。

このエチオピア・ミレニアムに合わせて、当時住んでいた自宅の目の前に、組み立て式の巨大なイベント会場「ミレニアム・ホール」が建設されました。これを持ってきたのは、当時のアフリカ長者番付1位の富豪、サウジアラビア系エチオピア人事業家のアラムディ氏。ミレニアムの記念に、世界的に有名な歌姫のビヨンセやリアーナが来て、このホールでヒットナンバーを熱唱したのは、アラムディ氏の力技によるものでしょう。ミレニアムが終わると、3ヵ月後に解体されて、別の国のイベントに使われる、と聞いていたのですが、10年以上経って再びエチオピアに赴任した今でも、このホールはここに残っていて、各種イベントが開催されていました。コロナ禍への対応のために、このホールには1000台もの病床が敷き詰められていたこともありました。また、北部戦線で負傷した政府軍の治療病棟としても活用されました。

4

都市の生活と村落でのしきたり

多様な民族の村々を訪ねて

2021年9月、エチオピア南部にある南部諸民族州のいくつかの村を訪れました。エチオピア航空の国内線で首都から南西へ400キロメートル以上離れたジンカという町まで飛び、プレハブの空港建屋を出て、予約しておいたランドクルーザーと運転手、それにガイドの青年と合流しました。

エチオピアは連邦制で、大ざっぱに言えば、州の名前が一つの大きな民族圏を構成していて、多くの人々は、その民族名の言語を話します。例えば、アムハラ州にはアムハラ語を話すアムハラ人が、またソマリ州にはソマリ語を話すソマリ人が多く居住しています。もちろん、国内の人々の移動は頻繁に行われていますので、異なる民族、言語、宗教が混在・共存しています。

その中でも、南部諸民族州は、その名のとおり、エチオピアの南部にある様々な民族が集まって構成された州です。そして、数十にも及ぶ異なった民族がそれぞれの社会を形成しています。ところで「民族」という単語の使用には賛否あり、私個人としても少し抵抗を覚えなくもないのですが、ここでは便宜上、民族という表現を使います。ちなみに、南部諸民族州は、「The Southern Nations, Nationalities, and People's Region：SNNPR」と書くので、直訳すると、南部の国民、国籍及び人々の地域、ということになります。

エチオピアは、紅海に接しているエリトリア（エチオピアから分離独立）や、それと国境を接するエチオピア北部のティグライ州の辺りから、紀元前１０００年頃に国家としての歴史が始まりました。その後、徐々に統治の地域を広げ、首都も転々としながら南下し、今から約1世紀前に、国土のほぼ中央に位置する現在の首都アディスアベバに定着しました。ここまでの長い歴史の中で、南部の地域は、中央政権の直接的な影響力が及びにくく、独自の文化や習慣を維持したまま、それぞれの民族グループごとに発展を遂げてきました。身体的な特徴も、北部や中部の人々と大きく異なります。見た目や生活習慣は、むしろ、国境を接している南スーダンやケニアの人々に近いところがあります。

この旅では、ジンカを拠点に、複数の村を訪れました。アフリカ人と一口に言っても、肌の色一つをとっても実に様々です。身長や顔つきなど、個人差を除いても、多様なことがわかります。顔つきなどから、ある程度は出身地を見分けることができるようになります。エチオピアほどの大きな国になると、複数の国が集まったくらいの多様性が1ヵ国の中に見られると言ってもよいでしょう。外見だけでなく、生活習慣や価値観も異なってくるはずです。

唇にお皿を入れた女性たち

ムルシという村を訪れました。私たち外国人の来訪に気づき、村の女性たちが、唇や耳の穴にお皿のようなプレートを入れて出てきます（図54）。この村の女性たちは、幼い頃から下唇の一部を切って、その穴に小さなプレートを入れて、それを徐々に大きくしていき、大人になる頃には直径10センチ以上のプレートを挟めるようになります。耳たぶにも同様に穴を開け、プレートを入れて拡げていきます。できるだけ大きなプ

図54　ムルシの村の年長の女性

レートが入るほうが、女性として魅力的だとも言われますが、それを否定する説もあります。別の村からの略奪行為から女たちを守るために、敢えてこのような習慣を作ったのだとも。真の意味がどうなのか、ナゾは深まりますが、少なくとも現代において、この習慣は間違いなく、この村や人々の観光収益源となっています。観光客がいないときはプレートを外しているので、下唇や耳たぶの一部がだらんと伸びています。

私のような「いかにも外国人」が訪れると、ムルシの女性たちに取り囲まれて、写真を撮ってくれ、とせがまれます。ものすごく積極的なアピールです。写真1枚あたりいくら、と彼らの要求額が提示されます。そのために可能な限りの「アクセサリー」を身につけて来ます。さらには、家屋の裏に呼び込まれ、体を覆っている布をさっと外し、体に付けられた模様を見せて、これも写真に撮ってくれ、と要求されました。小さい頃から、傷のようなものを付け、その部分が膨れ上がるような形で模様になっているのです。お金の他にも、「ソップ、ソップ」と言って頭をなでるようなそぶりで何かを要求されました。よく聞くと、「ソープ」つまり石鹸が欲しい、ということでした。

ムルシの村は南スーダンにほど近い地域なので、人々は南スーダンの主要な民族によく似た特徴を有しています。一言で言えば、非常に身長が高く、手足が長い。そして肌の色は真っ黒に近い。日本人男性の平均的な身長の私は、村の男性たちと話すときは見上げなければなりません。また、

図55　ムルシの村の少女たち　唇にプレートを入れていない者もいる

日本の中学生くらいの年齢の少女たちでさえ、横に並ぶと私よりも背が高く、スラリとしています。少女たちの中には、唇や耳に穴が空いていない者もいました（図55）。ムルシの人々の中にも、伝統的な習慣についての考え方に、変化が表れているのかもしれません。

男は牛の背を渡り、女は土で髪を塗り固め、携帯電話で話をする

国境方向に車を走らせていくと、ハマーという人たちが住んでいる村落があります。以前はブッ

シュの中に点在していた村々の中を、舗装された幹線道路が一直線に通っています。したがって、私たちは、村の入口まではランドクルーザーで舗装道路を走って行くことができます。そこから幹線道路を折れて横道に入ると、集落のあるところまでは土の上をゆっくり走って行きます。この幹線道路がなければ、1日でいくつもの村を訪れることはできなかったでしょう。日中、村には女性と子供だけがおり、男性の姿は見当たりません。男たちは、村の財産である家畜（牛）を放牧に出かけているのです。この村では、娘が嫁入りする際、嫁ぎ先の家族から娘の家族に牛が20頭贈られるそうです。家畜は貴重な財産ですから、これはすごいことだと思います。家族の跡継ぎには男子が必要である一方で、娘が3人いれば、その家族は（娘が全員嫁げば）裕福になる、ということです。そして、牛追いから戻ってきた男性が言いました。娘が学校に行くと、そこでいろんなことを覚えて、都会に進学し、就職して帰ってこなくなる。「だから学校には行かせたくない」とまでは言いませんでしたが、そうした感情をやや含んでいるように聞こえました。集落から少し離れたところに小学校がありました。もう少し大きな町に行けば、中学校があるそうです。高等学校に進学するためには、ジンカのような「都会」にまで行かないといけないそうです。

村人たちから「お母さん」と呼ばれていた年配の女性が村に帰ってきました（図56）。村から離れたところにある町の市場に携帯電話を充電に行っていたそうです。この集落には電気が通っていません。しかし、村の人たちは携帯電話を使っているのです。ここの女性たちは、皆独特な髪型

図56　ハマー村のお母さん　特徴的な髪型と首飾りがとってもオシャレです

をしています。髪をドレッドに結び、おかっぱスタイルで、赤土とバター（油）を混ぜた液体を塗っています。髪型がしっかり決まるのと、虫除けのような効果もあるようです。「お母さん」から、この土地の「コーヒーセレモニー」に招待いただき、村の中の一つの家に招き入れられました。木の枝で骨組みを作り、赤土におそらく牛の糞を混ぜたもので壁を作り、それを土地で採れる茅《かや》のような植物で覆った小屋のイメージです。室内は薄暗く、家具はありません。お母さんはそのまま床（地面）に座りますが、私たちは客なので、牛の皮を敷いた上に座るよう促されました。大人が4人座ればちょうどよいくらいのスペースです。珍しかったのは、この土地のコーヒーです。コーヒーの豆ではなく、豆の外側の殻をつぶして炒った粉を、お湯と一緒に瓢箪《ひょうたん》のような「ポット」に入れて、炭火でコーヒーを沸かします。大きな瓢箪の下の部分を切り取り、中をくりぬいた器にコーヒーを注ぎ、皆で回し飲みをしました。大きな器を両手で抱えて持ちながら、コーヒーをすすります。フィルターを通していないので、コーヒー豆の殻が口に入らないように、唇をすぼめながら飲みました。アメリカン・コーヒーをさらに薄めたような優しい味がしました。こうした交流ができるのが、旅の醍醐味ですね。

この土地の若い男たちは、お祭りの際に、牛の背中を渡り歩く「ブルジャンピング（bull jumping）」をして勇気を示します。これができると、立派な男として認められる通過儀礼なのです。伝統的な習慣や身なりで生活する村の真横を幹線道路が走り、携帯電話を必需品として生きている。牛追いの男たちは、左右を確認しながら幹線道路を牛と共に渡って、その向こう側の川に水を飲ませに行き、同様に舗装された道路を渡って帰宅する。伝統と現代の産業化がミックスした、大変興味深い光景でした。固定電話がある生活を経ることなく、携帯電話を使うことはできます。技術は蛙跳び（leapfrog）する、という言葉も納得です。

マサイの少女戦士たち

さらに国境近くのダサネッチという村まで行きました。この村に入るには、その土地の政府のオフィスでパスポートを提出して、国境を越えるための手続きが必要になります。実際には国境は越えないのですが、集落を越えてジャングルを抜けると国境地帯になります。地元の行商の人々はこうして日常的に国境の両側を行き来しているのでしょう。もちろん、正式に越境する際にはビザを取得して、本格的な出入国手続きが別途必要になります。そのオフィスで手続きを済ませると、ガイドに従って川岸に下りていき、一本の丸太をくりぬいたカヌーに乗り込みます。船頭が棒でこいで向こう岸に渡してくれます。これは愉快な経験でした。向こう岸についてしばらく歩いて行くと、目的の村にたどり着きます。まだあと数十キロメートルはありますが、そこから南スーダンとケニアの国境地帯を眺めることができました（図57）。村に向かって歩いていくと、子供たちが走り寄ってきて、手をつないだりしながら案内してくれます。皆元気で可愛いですね。この子たちも、頭をなでる（洗う）しぐさで石鹸をねだってきました。「石鹸ないよ、ゴメンね」というと、今度は「ファザモネ」と言って手を差し出しました。きっと「father, money（おじちゃん、お金）」と言っていたのでしょう。

ここの村の人々は、ケニアのマサイの人たちと同じ民族と言われていて、身体的特徴としては、男女ともにスリムで身長が高く、いかにも狩猟が得意な感じです。男たちは目つきが鋭く、槍を

図57 川の向こう側が南スーダンとケニアの国境

持って牛を放牧して生活しています。女たちは、子育てをしたり食事を作ったりしつつ、ビーズのアクセサリーを作って売っています。

突然、ざわついたと思って見ると、少女2人が喧嘩をしていました。最初は激しい口論だったのが、ついに取っ組み合いの本格的な喧嘩に発展しました。地面に倒れてもお互いにつかんだ相手を離さず、2人が揉み合ったまま移動します。村人たちはそれを見守りながら一緒に移動します。誰も止めに入らずに、気が済むまでやらせている感じです。男も女も気性が荒いので、怒らせないように、とあらかじめガイドから注意を受けていましたが、このすごい迫力の取っ組み合いを見ると納得です。アフリカの諺で、「喧嘩を仲裁するなら盾を持って行け」というのがあります。巻き込まれることが前提となっているのでしょう。部外者が余計なことをして巻き込まれないよう、私もじっと見守っていましたが、そうしながら想像を巡らせました。

(彼らは揉め事があると、座って話し合って解決するのだろうか。それとも、槍を持って直ちに戦うのだろうか。)

そんなことを考えながら、ボーッとしていると、どこで手に入れたのか、南米の有名なサッカー選手の名前が入ったユニフォームを着た裸足の少年がやってきて、私のスマートウォッチの画面を指でスクロールして喜んでいました。私のような外国人が多くこの村を訪れているのでしょう。なんとも不思議な感じがしますが、これが現代のアフリカの村の人々の生活なのだと認識を新たにしました。

都会での生活

一連の南部地域での旅程を終えて、また国内線で首都アディスアベバに戻りました。小規模の村々を訪れた後に、一気に人口500万人近い大都会に来て、ここが別世界だとハッキリわかりました。

もちろん、世界有数の大都会の一つである東京とは比べものになりませんが、地方都市、特に牧歌的な村落と比べると、アディスアベバは圧倒的な近代都市です。

都市には様々な地方出身者が集まってきます。アディスアベバも例外ではありません。地方に行って、様々な人と接すると、アディスアベバにいるエチオピア人たちも多種多様であることがあらためてわかります。

(お、この人は南スーダン人(の代表的な感じ)に似ているな。きっと南西部の南スーダンとの国境に近い地方の出身者だな。)

(この人はきっとソマリ系だろう。あっちの人もソマリ系だけど、ソマリアというよりジブチ人に近いのではないか。)

といった感じで、人間観察を始めると止まらなくなります。

都会の人々は、村の人たちとは服装が違います。高級車に乗っているビジネスマン風の男性もいます。スマートフォンを片手に、皆忙しそうです。村には村の習慣があるように、都会には都会の社会ルールがあります。交通規則はありますが、車を走らせるマナーは、日本と比べると、お世辞にも良いとは言えません。ルールを守ることが大事なのではなくて、いかに効率よく、そして他人よりもうまく車を走らせることができるか、という点が優先されているように思われます。一見、無秩序に見えますが、お互いにタイミングや距離感を計りながら運転しています。

政府機関や高級ホテルなどの施設に入るには、金属探知機を通ることが日常茶飯事です。道路には交通警察が所々に立っていて、交通整理を行うだけでなく、時々車を止めて検問を行っていることがあります。時々、ニュースで、こうした検問や家宅捜査で、隠し持っていた武器を押収したと報じられることがあります。

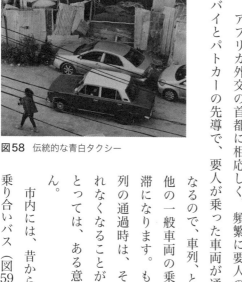

アフリカ外交の首都に相応しく、頻繁に要人の来訪があるので、サイレンを鳴らしながら白バイとパトカーの先導で、要人が乗った車両が通過することがあります。車両（複数の車が連なるので、車列、と呼ぶのが相応しいですね）が通過する前後は、他の一般車両の乗り入れがしばらくの間禁止されるので、大渋滞になります。もともと交通渋滞が多い町なのですが、要人車列の通過時は、その近くにいる車両は、長時間全く身動きが取れなくなることがあります。これもアディスアベバの人たちにとっては、ある意味慣れた普段の生活の一部なのかもしれません。

図58　伝統的な青白タクシー

市内には、昔から青と白のツートンカラーのタクシー（図58）と乗り合いバス（図59）が走っています。乗り合いバスは料金が決まっていますが、タクシーは行き先を告げて、値段交渉をします。しかし最近では、スマートフォンのアプリで予約して、料金も明瞭会計、領収書もアプリ上で入手できるタクシー（図60）が増えています。

図59 市民の足の乗り合いバス 今も昔も車内は満席、荷台は荷物で一杯です

図60 アプリで乗れるタクシー

皇帝の婚礼

都市にいても、その国の伝統が垣間見えるのは、冠婚葬祭の機会ではないでしょうか。キリスト教やイスラム教徒の人々の結婚式やお葬式、または新生児の洗礼式など、特徴的ですよね。日本人社会はしばしば、誕生、結婚、葬儀と、宗教がバラバラだと言われますが、それもまた一つの特徴なのでしょう。

私が以前雇っていたエチオピア人の運転手（男性）の結婚式に出席したことがあります。式の数日前に、彼の自宅に昼食に招待されました。そのときに彼の母親とお嫁さんも紹介されました。アディスアベバ市内の庶民的な地区にある住まいでしたが、居間にはソファとテーブルが置かれ、テレビがありました。そこで、結婚準備中の彼から密かに相談を受けました。

「あなたは外国人だから、免税店で買い物ができますよね。お金は工面するので、ウイスキーを10本買ってきて下さい。」

彼はアルコールを飲まないので、理由を尋ねると、結婚に際してお世話になる仲人や長老の人たちに贈り物をする必要がある、というのです。なるほど、そういう習わしがあるのか、と納得して免税店に行きました。こういうときには「舶来品」がやはりインパクトを持つのだな、と思いました。

彼は敬虔なクリスチャン（エチオピア正教会の信者）です。仕事が休みで時間があるときは、教会に行って過ごすことが多いと言っていました。結婚式当日、雨季で小雨がぱらつく中、車で

図61　皇帝夫妻のように見栄えのする新郎新婦

会場の教会まで地図を見ながら向かいました。途中、道路が陥没して滝のような雨水が流れているところなどを何とか乗り越えて、会場となっている教会にたどり着きました。大勢のお客がいる中、私は彼の「ボス」ということで、来賓席に通されました。皆、笑顔で迎えてくれました。ちょっと照れくさかったです。

開会を待っている間、ジュースなどの飲み物が運ばれてきます。そして、いよいよ新郎新婦の登場です。会場が一気に盛り上がります。白を基調とする正装の彼は、皇帝のように立派に見えました（図61）。背が高いので、見栄えがしてカッコいい。司会者の進行で挨拶などがあり、食事が運ばれてきます。そうこうしているうちに、会場はどんどん熱気が上がり、最後は皆踊り始めます。こうなったら踊りの輪に入っていくしかありません。ワイワイやって、私は適当なところで辞去しましたが、宴会は夜通し続いたそうです。他の仕事仲間のエチオピア人の結婚式にも呼ばれたことがありましたが、大体同じ流れでした。

市内の高級ホテルでも、しばしば結婚披露宴が行われます。ホテルの大宴会場を貸し切っての大披露宴です。こうした機会には、会場内に牛一頭の肉をつるし、皆ナイフで切り取って生肉を食べることがよくあります。仲の良い人同士は、性別や年齢に関係なく、お互いに食べさせ合ったりもします。私が以前住んでいた一軒家の洗濯場近くには、大きなフックがあり（牛や羊を一頭まるまる吊すのでしょう）、床は排水ができるようになっていました。こうした習慣を知っていれば、そこが何のための場所か、すぐわかります。何メートルもある真っ白なリムジンが1台ホテルの車寄せに停まっていて、新郎新婦が乗り込みます。そのリムジンに続く数台の車に親族や友人たちが乗り込んで、クラクションを鳴らしながら市内を駆け抜けます。その前後に別の車両が付いていて、カメラマンが車から身を乗り出して一部始終を撮影しています。一体、この結婚式のセット料金は総額いくらになるんだろう、と余計な心配をしてしまいます。

第5章 アフリカと日本

1 アフリカの資源と産品

日本人の生活を支えるアフリカ

日本は、エネルギーや食料の多くを外国からの輸入に頼っています。日々の生活に欠かせない電力や携帯電話のような電子機器、毎日の食事（パンや麺類など）、おやつで食べるチョコレートや記念日に大切な人に送るバラの花束など。生存に不可欠なものから、生活をより豊かにするための商品に至るまで、我々日本人は、1年365日、1日24時間、実に様々な商品やサービスを必要としています。しかし、日常で何気なく消費しているものでも、その原料がどこで採掘・採取され、どのように運ばれ、工場で加工され、さらに付加価値が付けられて自分の手元に届くのか、少し立ち止まって考えてみると、実は途方もないプロセスを経ていることに気づかされるでしょう。

小学生の頃、担任の先生から、給食の時間に、「君たちが食べているパンは小麦粉でできていて、遠い外国から来ているんだよ」と教えられて、「へぇー」と無邪気に感心したことを思い出します。このときの新鮮な気持ちを胸に、日本の経済面での安全保障にアフリカがどのように関わっているか、簡単に紹介します。

採取産業（Extractive Industries）

まずは、地下資源、鉱物資源を取り上げます。

電力供給や自動車等の動力として必要な石油や天然ガス。石油は中東だけでなく、スーダンなどのアフリカからも輸入しています。また天然ガスは、ナイジェリアやエジプトからも輸入しています。

携帯電話やコンピューター等の精密機器にはレアメタルが多数使われています。使用済みのこれらの機器を回収してリサイクルするのは、機器に含まれるレアメタルを取り出して再利用するためです。その名のとおり、レア（希少）な金属です。例えば、コバルトはコンゴ（民）やザンビアから来ています。

採取産業の行方は、技術革新とも大きく連動しています。探査技術が向上すると、以前は見つけられなかったところに資源が埋蔵されていることがわかるようになります。わかったところで、掘り出すコストが過多となれば、ビジネスとして成立せず、断念せざるを得ません。そこで、採掘技術の改善が求められるのです。シェールオイルのように、地層と原油が分かれておらず、泥のようにグチャッとしたものでも取り出すことができて、成分を分離する能力が上がることで、採掘・生産が可能となります。

強さと賢さを兼ね備えた美

プラチナとダイヤモンド。まずは高価な宝飾品を思い浮かべるでしょう。カットの仕方で輝きが変化するダイヤモンドは、アフリカのボツワナ、コンゴ（民）、南アが主な産地です。宝石の代表のようなダイヤモンドですが、輸入の多くは工業用ダイヤです。硬さや熱伝導性に優れたダイヤは、切る、削る、磨く、の機能が三拍子揃った有能な加工道具となります。その耐摩耗性や熱伝導性を活かし、調理用品のコーティングにも使われます。さらに、放熱性が高いことから、５Ｇ／６Ｇの新時代のＩＴ技術にも活躍しそうです。品質安定の観点から、最近では、１００％天然のダイヤよりも、人工的に合成された合成ダイヤや人造ダイヤがより多く使われてきています。

結婚するカップルの80％がプラチナの指輪を選ぶそうです。耐久性や純度、そして見た目の美しさが選ばれる主な理由です。そして希少性。つまりそれだけ価値が高い、ということでしょう。日本は、プラチナの80％近くを南アから輸入しています。そしてその多くの用途は、工業用です。例えば、自動車の排気ガスの浄化のための触媒として用いられます。

高貴で稀少な金とプラチナ

貴金属と言えば、すぐに思い浮かぶのはやはり金とプラチナ。その名のとおり、ノーブル(高貴)なメタルであり、高級なイメージがあります。いえ、実際に高価であることが多いです。人類が金を手にして今まで、約６０００年の歴史があります。その間の総採掘量は17万トンと言われています。そして、現在確認されている埋蔵量は7万トン。これまで、地球の金の埋蔵量の3分の2がすでに掘り起こされたことになります。

プラチナに至っては、埋蔵量はずっと少なくなります。人類との歴史は金よりも浅く、これまで採掘されたのは約5万トン。そして、現在の埋蔵量は2万トンを大きく切っています。クレジットカードやチケットで、ゴールドやプラチナと呼ばれるものがあります。上得意客のステータスを意味します。結婚記念日にも金（50周年）とプラチナ（70周年）があります。いずれも、金よりプラチナのほうが上に位置づけられています。

希少価値と価格は一定の比例関係を有しますが、最近は、プラチナよりも金の相場価格が高くなっているらしいです。

我々は、毎日アフリカを食べている！

皆さんは、朝食や休憩時にコーヒーを飲みますか？　日本は世界有数のコーヒー愛飲国です。日本人は年間1人あたり約4kgのコーヒーを消費しています。エチオピア、タンザニア、ケニアをはじめ、多くのアフリカの国がコーヒーを生産し、日本にも輸出しています。

チョコレートの原料であるカカオの生産の世界第1位は、西部アフリカのコートジボワール。その隣国のガーナも世界有数のカカオ生産国です。日本では、商品名にも使われているとおり、カカオの輸入の80％弱をガーナから輸入しています。ちなみに、日本人は年間1人あたり約2キログラムのチョコレートを食べているのだそうです。

甘いものつながりでいくと、バニラアイスなどに使われるバニラの原料となるバニラビーンズの90％以上を、アフリカ東海岸の島国のマダガスカルから輸入しています。

千夜一夜物語の「開けぇ〜、ゴマ！」の舞台は中東（ペルシャ）ですが、そこに欠かせないアイテムであるゴマはアフリカ原産と言われています。古代エジプトやメソポタミア、そしてインドでは、紀元前３０００年にはすでにゴマが栽培されていた形跡があります。また、古代オリエントのアレクサンダー大王が東方遠征したことで開通した東西貿易ルートとシルクロードを経て中国、そして日本に広まったとされています。現在、主なところでは、西部・東部アフリカのブルキナファソ、ナイジェリア、タンザニア、エチオピア、ウガンダからゴマが日本に輸出されています。日本はゴマの国内消費のほぼ全量を輸入に頼っていて、その取引量上位3位をアフリカ勢が占めています。

俳句で新年の季語にもなっている伊勢エビは、南部アフリカの長い海岸線を有する南アやナミビアから輸入しています。全体の輸入額のそれぞれ10％程度を占めています。世界的に日本食の人気が高まっています。寿司や刺身を箸を使って上手に食べる外国人が増えています。一番人気はマグロでしょうか。北部アフリカのモロッコ、アルジェリア、チュニジア産のマグロも日本の食卓に並んでいます。

土用の丑の日と言えば、ウナギ。日本近海でのウナギの稚魚の不良が続いたことから、２０１２年に、マダガスカルからウナギの稚魚が輸入され始めました。縁日でも人気なたこ焼きのタコも、アフリカから来ています。日本で消費されるタコの60％は、北部アフリカのモーリタニアやモロッコ産です。

生活に彩りと安心を

記念日に百万本のバラの花束をプレゼントされたら一生の思い出になることでしょう。ケニアやエチオピアを中心に、日本にもアフリカからバラが輸入されています。アフリカのバラは花が大きく、しっかりしていると言われています。日本が輸入するバラの20％がケニア産だそうです。良い花でも、冷蔵して輸出できるよう、コールドチェーンが確立されていないといけない、といった課題もあります。なお、サハラ砂漠には、ローズ・ド・サハラ（サハラのバラ）と呼ばれるものがあります。これは花ではなく、砂漠の砂と水分からできた結晶のことです。形がバラの花に似ていることからそう呼ばれるのです。きれいで珍しいので、お土産にもなっています。

ゴムの木は、アフリカの至る所にあります。車のタイヤをはじめ、多様な用途がありますが、化粧品の粘り気を出すためにも使われます。

アフリカの低地では、蚊（ハマダラカ）の媒介によるマラリアが今でも発生します。蚊帳を吊ったり、防虫スプレーを散布したり、様々な対策がある中で、結構よく効くのが日本の蚊取り線香です。ここに使われる除虫菊は、ケニアやタンザニアから輸入されています。アフリカから輸入したものが再びアフリカに持ち込まれ、我々の身をマラリアから守ってくれているのですね。

紛争ダイヤモンド（Conflict diamond）

石油、天然ガス、鉱物は、皆の生活に不可欠な、そして豊かにする地下資源ですが、光の裏には常に影があるものです。

内戦地域で産出されるダイヤモンドや他の宝石類が紛争当事者の資金源となっているものを、紛争ダイヤモンドと呼びます。「血塗られたダイヤモンド（blood diamond）」と呼ばれることもあります。同名の映画は、西アフリカのシエラレオネを舞台とし、紛争ダイヤモンドをテーマとする作品です。紛争が激化すると、地元住民の生活は困窮し、鉱山労働者の賃金が圧迫されます。これは、宝石価格の下落にもつながります。負のスパイラルの中で唯一得をするのは、紛争ダイヤモンドで得た資金で武器を購入し、それを売りさばいて儲ける武器商人たちです。国連が紛争ダイヤモンドの取引を禁止するなど、国際社会も対応していますが、抜け道がないわけでもないのです。

「ET」ではなく「EITI」

採取産業から資源産出国の政府に流れる資金の透明性を高めることを通じて、腐敗や紛争を予防し、その多くが開発途上国である資源産出国の経済成長や貧困削減につなげるといった、責任ある資源開発を促進する国際的な枠組みがあります。

「採取産業透明性イニシアティブ（Extractive Industries Transparency Initiative）」と呼ばれる取り組み

です。長い名称なので、短縮して「ＥＩＴＩ（イー・アイ・ティー・アイ）」と呼びます。資源産出国（51ヵ国）、日本を含む15の支援国の政府だけでなく、採取企業や市民社会が多数参加しているのが特徴です。豊富な資源を有する産出国が、その資源によって豊かになるのではなく、逆に貧困が深刻化するといった「資源の呪い」から脱する必要があります。公正な取引が行われることが、世界全体の資源の適切な活用につながることは言うまでもありません。資源のほとんどを海外からの輸入に依存している日本にとっては死活的に重要です。世界の「連結性」の重要性を再認識せずにはいられません。

アフリカ通への一歩

図書館で鉱物資源の重みを体験?!

どういう鉱石が何に使われるか。どこに埋蔵されているか。こういった詳しい情報は、鉱物資源百科事典に掲載されています。地球には数千もの鉱物があり、その埋蔵量、消費量、工業への応用、硬度、色等の情報が満載です。この事典、毎日使うものではないし、お値段もそれなりです。専門的な研究や仕事、または趣味で使う必要がない限り、一家に一冊とはいかないでしょう。興味があれば、図書館で閲覧することも可能です。千数百ページのずっしりした重さを体感するだけでもレアな経験になるでしょう。

2 日本とエチオピアの関係

日本に近代化を学ぶ「ジャパナイザー」たち

日本とエチオピアは、1930年に修好通商条約に署名し、正式な二国間関係を設置しました。第二次大戦で一時期関係が中断しましたが、1955年に関係が回復し、良好な関係のまま現在に至っています。日本は、20世紀のエチオピアの近代化に重要な関わりをもちました。皇帝ハイレセラシエ1世（1892-1975年）は、国家の近代化を進めるにあたり、欧米ではなく、日本をモデルとしたのです。その頃、日本を研究していた「ジャパナイザー（Japanizer）」と呼ばれる知識層がいました。彼らが日本に注目した背景には、日露戦争による日本の勝利や第一次大戦後のパリ講和会議で日本代表が行った演説で人種差別撤廃に言及したことへの共感等があるように言われていますが、ハイレセラシエ自身、スイスに滞在していた際に、接点のあった日本人外交官に非常に好印象を抱いたとも言われています。同時に、関係が微妙になりつつあった欧米へのアンチテーゼ、という立場もあったのかもしれません。

かくして、国造りの基礎は憲法から、ということで、ジャパナイザーを中心とする近代化のための具体的な作業は、憲法制定から着手されました。1931年に制定されたエチオピア憲法起草の範となったのが、当時の日本の憲法（大日本帝国憲法）でした。

歴史に翻弄され、結ばれなかった2人

日本をモデルに近代化に取り組むエチオピア政府が1931年に日本に送った使節団の中に、ハイレセラシエの甥のアラヤ・アババ殿下がいました。この殿下は、日本が大好きになり、是非とも日本人女性と結ばれたいと強く希望されました。複数のお妃候補の中から、千葉県久留里藩の旧藩主である黒田広志子爵の次女、雅子様が第一候補に選ばれました。実は雅子様はご両親に内緒で立候補したらしいのです。

これを機に、日本は一気にエチオピアの話題で盛り上がり、「エチオピアの唄」という歌がレコード会社から発売されるまでになったのです。また、使節団を率いたエチオピアのヘルイ外務大臣は帰国後、日本についての紀行文を記し、これは日本でも「大日本」と邦訳されて出版されました。

しかし、この世紀の婚約話は、後に第二次世界大戦につながる国際情勢の悪化により破談となってしまいました。エチオピアを含むアフリカの角地域への関心を示していたムッソリーニのイタリアからエチオピア政府に「待った」がかかったと言われています。事実、その直後にイタリアはエチオピアに侵攻しました。歴史に「ＩＦ（もしも）」はないと言いますが、もしご成婚されていたら……。

「エチオピア」という名の魚

深海に生息するシマガツオ、というスズキ目の魚をご存知でしょうか。この魚は、通称「エチオピア」と称されるのです。その名前の由来は、一説によれば次のとおり。

エチオピアとの交流が盛んになった1930年代初頭に、相模湾に、深海魚のシマガツオが多く見つかりました。地元の人々は、エチオピアからの来賓を歓迎して浮上してきたに違いない、と噂し、以来、この魚は「エチオピア」と称されるようになったのだそうです。

「エチオピア饅頭」

魚の次は饅頭です。エチオピアに侵攻したイタリア軍（1935〜36年、第二次エチオピア戦争）に果敢に応戦するエチオピア軍の奮闘ぶりに感銘を受けた、高知県のお菓子屋さんの店主が販売する饅頭に命名しました。黒砂糖が入った皮とこし餡の調和が絶妙だったことを私も鮮明に覚えています。これを読んで、「ぜひ食べたい！」と思った方には大変残念なお知らせですが、このお菓子屋さんは、2013年に閉店。在日エチオピア大使館公認菓子となった銘菓の味は、歴史の記憶と共に、食べた人々の中に永遠に残ることとなったのでした。

コーヒーセレモニー

コーヒー好きの私は、喫茶店で「エチオピア・モカ入荷」という貼紙を目にすると、思わず注文してしまいます。最近では、日本でも、ハラール、シダモ、イルガチェフといった具体的産地名が付いたエチオピアのコーヒー豆が売られていることもあります。子供の頃、モカはコーヒーの代名詞だと思い込んでいました。ちなみに、「モカ」というのは、エチオピアではなく、アデン湾を挟んで対岸にあるイエメンの港町の名前から取ったものです(英語ではMochaと表記されます)。この港から、エチオピアやイエメン産のコーヒーが輸出されていたため、そう呼ばれるようになり、日本でも「モカ」が定着したのです。なお、モカという地名はエチオピアにもあるにはあります。

図62　コーヒーセレモニーの様子
女性が右手に持っているのがジャバナ

エチオピアでコーヒーセレモニーに招かれることがしばしばあります。客は、白を基調としたきれいな民族衣装のドレスを着た女主人を取り囲むように座ります（図62）。床には、ケテマと呼ばれる「い草」のような植物が敷かれています。まずは水で生豆を洗うところから始まり、炭火で焙煎します。この炭火に乳香が入れられると、その場の雰囲気が一気に格式高いものに感じられるのです。豆がローストされて良い匂いが立つと、女主人がそれを客に回して嗅がせてくれます。

豆が良い色になったら、それを粉にします（本来ムカチャという臼で潰すのですが、ガーッと電動ミルでやるときもあり、急に感覚が21世紀に戻ることもあります）。挽いたコーヒーをジャバナと呼ばれる特徴的なポットに水と一緒に入れて、火にかけて沸騰させます。これでブンナ（エチオピアの公用語アムハラ語でコーヒーの意味）の出来上がり。小さめのカップに入れて、客に振る舞われます。正式にお呼ばれされた場合、3杯いただくのが礼儀と言われています。その後、長老が皆の幸福を祈って儀式はお開きになります。

味わい方も様々です。コーヒーに香草（エナアダム）を入れて飲むこともしばしばあります。地方によってはバターを入れるところもあります。南部のグラゲという地域に出張したときには、このバター入りのコーヒーをいただきました。大事なお客だと、バターの割合が増えるのだとか。ありがたいことに、私もバターの油分が分厚い層になって見えるような特別なコーヒーを、勧められるままに何杯もお代わりしました。

また、一つのカップにコーヒーと紅茶を半々にして飲むこともあります。きれいに2層に分かれたコーヒー&紅茶を透明なグラスに入れて出してくれる店もありました。味は、コーヒーと紅茶のミックスではなく、それぞれの味が交互に感じられました（個人差があります）。

コーヒー道と茶道

さて、日本とエチオピアの関係の文脈でなぜコーヒーに言及したのかというと、日本の茶道との共通項があるなと思ったからです。両国とも、3000年もの長い歴史を有し、独立を保ってきました。一杯飲むのに、これだけ格式を持ち、時間をかける国民は珍しいでしょう。エチオピアの大統領宮殿の敷地内に、日本庭園があります。両国関係にちなんだ記念行事の際に、茶道のデモンストレーションを行ったことがあります（野外だったので野点《のだて》形式）。急ごしらえではありましたが、美しい日本の着物に身を包んだ大和撫子を中心とするエチオピア在住日本人編成チームが、お琴の生演奏と共に奮闘。来賓としてご出席された当時の大統領に最初の一杯を味わっていただきました。ギャラリーに開放した途端に長蛇の列ができたことは言うまでもありません。

3 日本のアフリカ外交(TICAD)

TICADの始まり

日本のアフリカに向けた取り組みを語る上で、絶対に避けて通れないのが「TICAD」です。TICADは、日本主導のアフリカ開発会議(Tokyo International Conference on African Development)の略称で、「ティカッド」と読みます。私も長く関わってきたTICADの始まりからこれまでの歩み、特徴、そして今後について紹介します。

最初のTICADは、1993年に東京で開催されました。1990年代初頭、冷戦の終結によって、東西両陣営がアフリカを援助することの戦略的重要性は低下していました。加えて、それまでに行った多額のアフリカへの投資(支援)にもかかわらず、アフリカの経済成長は十分に見られませんでした。また先進国における経済停滞や財政難もあって、いわゆる「援助疲れ」の状況が生じていました。時代が大きく変化し、世界のグローバル化が進む中で、日本はいかに国際貢献すべきか。政府内で真剣な検討が重ねられていた頃でした。そうした中で、南アフリカのアパルトヘイト政策の撤回を契機に、日本はアフリカの民主化や経済成長を支援するための国際会議を開催する方針を打ち出したのです。国際社会のアフリカへの関心を引き戻し、様々な関係者を巻き込んだ会議を開催するためには、多国間、多角的なアプローチ、いわゆる「マルチ（multilateral）」のプラットフォームが必要と結論づけたのです。

この結論を受けて、日本政府は、国連（アフリカ及び最貧国特別調整室（ＯＳＣＡＬ））（注１）、アフリカのためのグローバル連合（ＧＣＡ）（注２）と手を組み、３者の共催で、１９９３年10月に、ＴＩＣＡＤを東京で開催しました。アフリカ48ヵ国、ドナー12ヵ国、欧州委員会（ＥＣ）、国際機関８機関、オブザーバーなどが参加しました。

この会合の最後に採択された「東京宣言」では、アフリカの潜在力を自主的に発揮する「自助努力」と、こうした努力に対し、国際社会が平等なパートナーとして参画していくことが強調されました。アフリカのオーナーシップと国際的パートナーシップは、今日に至るまで、ＴＩＣＡＤの基本姿勢として貫かれています。この東京宣言の中には、民主化や良い統治（グッドガバナンス）の重要性、政府開発援助（ＯＤＡ）のみならず、民間セクターの活動を通じた経済開発の重要性が強調されています。また、アジア諸国の経験を踏まえ、アジア・アフリカ間の南南協力の促進も謳われています。さらに、自然災害等の予防や女性支援の重要性、またＮＧＯの参加といった、現在の議論にも通じる取り組みが書き込まれていたのです。

ＴＩＣＡＤは、アフリカの開発に関する政策や哲学を協議する対話の場（フォーラム）であることから、援助金額を発表し合う、いわゆる「プレッジング（pledging）会合」ではないと位置づけられていますが、日本政府は、ホスト国の責任において、水分野で３年間で約３億ドル規模の無償資金協力を行うことを表明しました。

この時点では、ＴＩＣＡＤがシリーズ化することは必ずしも想定されておらず、同様の会議を「遅くとも今世紀の終わりまでに開催する意図」が表明されたに留まっています。

（注１）ＵＮ／ＯＳＣＡＬ（United Nations Office of the Special Coordinator for Africa and the Least Developed Countries）
アフリカと最貧国への支援を行い、国際社会に対等なパートナーとして統合することを目的とする。２００２年に解散、翌２００３年に設立された、国連アフリカ担当事務総長特別顧問室（UN/OSAA：United Nations Office of the Special Advisor on Africa）に代わった。

（注２）ＧＣＡ（Global Coalition for Africa）
アフリカの開発に関する重要事項に関し、国の枠組みを超えて議論する場を提供するＮＧＯ。２００７年にその設立目的を果たしたとして解散した。

ＴＩＣＡＤのシリーズ化

第1回ＴＩＣＡＤの5年後の１９９８年10月、ＴＩＣＡＤⅡが東京で開催されました。共催者には、当初の３者（日本、国連、ＧＣＡ）に加え、国連開発計画（ＵＮＤＰ）が加わり、４共催体制となりました。「アフリカの貧困削減と世界経済への統合」をテーマに議論され、日本政府からは、5年間で約９００億円の無償資金協力として、教育・保健・水供給分野への支援が表明されました。

その後、時代は21世紀になり、２００1年1月、日本の現職の総理大臣として初めて森喜朗総理大臣がアフリカ３ヵ国（南アフリカ、ケニア、ナイジェリア）を訪問しました。日本政府としてアフリカ外交に本腰が入った、とアフリカの指導者たちは感じたことでしょう。

ＴＩＣＡＤⅢに向けた準備の段階で、日本、国連、ＧＣＡ、ＵＮＤＰに加え、世界銀行が加わり、5共催体制となりました。ＴＩＣＡＤの立ち上げから10年目の２００３年9月に、ＴＩＣＡＤⅢが東京で開催されました。この頃、アフリカの首脳たちから、ＴＩＣＡＤの継続を求める声が多く発せられるようになりました。メイド・イン・ジャパンのアフリカ開発イニシアティブの重要性・有用性が、冷戦後の混乱の中で産声を上げてから10年を経て、アフリカの首脳や国際社会に再認知された瞬間でもありました。ＴＩＣＡＤプロセスの制度化が始まったのです。

ＴＩＣＡＤⅢの後から次のＴＩＣＡＤⅣまでの5年間に、「アジア・アフリカ貿易投資」（２００４

年）、「平和の定着」（２００６年）、「持続可能な開発のための環境とエネルギー」（２００７年）に関する閣僚級のＴＩＣＡＤ会合が開催されました。ＴＩＣＡＤという首脳級の会議の枠組みがすでに既定路線となったために、こうしたテーマ別の会合の開催も可能になったのでした。

ＡＵの誕生と国際会議におけるアフリカ問題の主要議題化

日本の総理大臣がアフリカを訪問し、ＴＩＣＡＤがシリーズ化した当時、アフリカを取り巻く国際社会の環境は、冷戦終了後と比べて大きく変化していました。まず一つは、２００２年のアフリカ連合（ＡＵ）の誕生です。アフリカの独立後に創設されたアフリカ統一機構（ＯＡＵ）から、より統合に向けた取り組みを目指すＡＵが中心となって、アフリカ自身だけでなく、アフリカ以外の国や地域との関係強化を目指す動きが出てきました。それに伴って、国際社会におけるアフリカの開発や経済成長が主要議題化するようになってきました。

２０００年の夏、Ｇ８九州・沖縄サミットが開催されました。国際社会が抱える様々な課題について議論し、解決策を提示する首脳級の会合です。そこでの議論の主要議題の一つに、アフリカが取り上げられました。主要８ヵ国（注１）の首脳に加え、南アフリカ、ナイジェリア、アルジェリアの大統領が招待されました。これに呼応するように、翌年のイタリア・ジェノヴァでのG８サミットでは、主要議題の一つとして、アフリカの貧困削減を含む開発問題が取り上げられ、さらに続く２００２年のカナダのカナナスキスでのサミットでは、「G８アフリカ行動計画」が採択されました。

次に日本がG８サミットのホスト国となったのは、２００８年の北海道洞爺湖サミットのときです。奇しくも、５年ごとに開催してきたTICADの第４回会合と前後して開催されることになりました。G８は８年ごとに日本がホスト、TICADは５年ごとに開催されるので、最小公倍数の40年に一度という黄金機会が巡ってきたのです（注２）。

なお、それに先立つ２００６年には、小泉純一郎総理大臣がガーナとエチオピアを訪問。さらに、２００８年初頭にエチオピアで開催されたAU総会には、森喜朗元総理が出席し、開会式のスピーチの中で、集まったアフリカの首脳たちを横浜でのTICADⅣに招待しました。日本の首脳外交がアフリカでも展開されてきました。

（注１）８ヵ国は、日、米、加、英、仏、独、伊、露。これにEUも参加する。なお、G８はその後、ロシアが抜けてG７となった。

（注２）現在、TICADは3年に一度開催されている。またG８がG７となり、黄金機会の頻度は加速した（40年（５×８）に一度→21年（３×７）に一度）。

乱立してきたAUパートナーシップ

「日本は、5年間で、アフリカ向けODAを倍増します」

2008年5月のTICADⅣの開会演説で、福田康夫総理大臣（当時）がこのメッセージを伝えたとき、本会場となった横浜の国際会議場は一瞬どよめき、すぐに拍手喝采に変わりました。TICADはプレッジング会合ではないのですが、このスピーチで、日本がアフリカと二人三脚で歩んでいく本気度があらためて伝わったはずです。この頃、アフリカ（AU）と、EU、中国、インド、トルコなどの国・機関との間で、TICADに続けと言わんばかりに、首脳級または閣僚級の定期会合が頻繁に開催されるようになってきました。福田総理のこの発言は、アフリカとのこうした対話の枠組みを始めたパイオニアであるTICADを主導する日本政府を、アフリカのみならず国際社会に深く印象づけたのではないでしょうか。

また、「TICADフォローアップ・メカニズム」が採択されたことによって、モニタリングや年次進捗報告書の作成が行われ、毎年、実施状況が管理されることになりました。TICADは、単にアドバルーンを打ち上げるのではなく、有言実行。約束がきちんと実施されるよう、関係者でフォローするのです。

なお、アフリカ向けODAの倍増が目立ってしまったかもしれませんが、民間セクターを巻き込んで、貿易投資を強化し、経済を活性化し、経済成長を加速することで、開発を促進することが強調された点が重要だと思います。

アフリカ通への一歩

TICADはTICAD

ところで、TICADの「T」は東京の「T」ですが、TICADⅣは初めて東京以外（横浜）で開催されました。しかし、だからといって横浜の「Y」を取って「YICAD」にはならず、また2016年はケニアのナイロビで開催されたからといって、「KICAD」や「NICAD」にはなりません。TICAD8の開催地チュニス（チュニジア）は「T」ですが、これもチュニスの「T」ではありません。地球上のどこで開催しても、TICADはTICADなのです。

AUCが共催者入り

アフリカのオーナーシップの精神に基づき、AUをTICADにより主体的に関連づける考えが高まりました。TICADⅣの後に、日本からAUに、共催者への参加を提案しました。AU

委員会（Commission of the African Unon：ＡＵＣ）は、こうして、２０１０年夏、ＴＩＣＡＤ共催者の一員となりました。その結果、ＴＩＣＡＤ共催者は、日本、国連アフリカ担当事務総長特別顧問室（ＵＮ／ＯＳＡＡ）、国連開発計画（ＵＮＤＰ）、世界銀行、そしてＡＵＣの五つとなりました。これが、今日の体制です。

ＡＵＣを共催者に迎えて初めて開催したＴＩＣＡＤⅤは、２０１３年6月に横浜で開催されました。ＴＩＣＡＤ開始から20年。当時、日本が主導する最大規模の国際会議となりました。成人として独り立ちをしていく記念すべき第5回でした。

アフリカ通への一歩

マラソン会談と回転ドア

ＴＩＣＡＤの重要な側面の一つとして、日本の総理大臣や外相とアフリカの首脳・閣僚が個別に会談する機会が持てることが挙げられます。ＴＩＣＡＤⅤで安倍総理（当時）は、出席した39ヵ国すべての首脳級参加者を含む計56名と個別の会談を行い、加えて、アフリカすべての首脳が一堂に会し、晩餐会を行いました。岸田外務大臣（当時）も、30名以上の閣僚や国際機関の代表とそれぞれ会談しました。我々はこれを「マラソン会談」と呼んでいます。

アフリカの指導者が日本の総理大臣や外務大臣と個別に会談する機会は頻繁にはありませ

ん。しかし、TICADの機会にはそれを確保することができるのです。総理大臣は日本の代表として会議に出席し、議長を務め、晩餐会などに出席します。またサイドイベントへ参加したり、企業の展示ブースを視察したりと大忙しです。そのような過密スケジュールの中で多数の二国間首脳会談をこなすのです。そのための会談のアレンジは、周到に実施される必要があります。二つ先までの会談予定の首脳が常に順にスタンバイし、会談終了と共に、次々と入れ替わっていく。我々はこれを「回転ドア方式」と呼んでいました。

TICADに対するアフリカの声に耳を傾けて

TICADはアフリカのオーナーシップの重要性を謳っています。AU委員会（AUC）が共催者の仲間入りをしたのも、オーナーシップを尊重した証です。そのアフリカから、TICADのあり方に注文がつきました。「5年に一度は間隔が長すぎる。3年に一度にできないか。他のパートナーシップ会合は大抵3年に1回の頻度で行っているではないか」という、開催頻度について。それから「アフリカの開発のための会合であるなら、日本ばかりではなく、アフリカでも開催すべきである」という点です。AUパートナーシップの乱立が進む中、AUは、これら様々な枠組みの比較と、ストリームライン化を図っているところでした。パートナーシップの元祖とも言えるＴＩＣＡＤにも、アップデートが必要となっていました。

２０１４年、安倍総理（当時）がアフリカ３ヵ国（コートジボワール、モザンビーク、エチオピア）を訪問した際、次回ＴＩＣＡＤ会合をアフリカで開催すべきというアフリカの声に応える考えを表明しました。その後、２０１６年２月１日の官房長官記者会見において、同年８月の第６回会合（ＴＩＣＡＤⅥ）をケニアのナイロビで開催することが発表されました。ＴＩＣＡＤⅤから３年後の開催を宣言したこの瞬間に、アフリカの声に応え、ＴＩＣＡＤの開催頻度を５年に一度から３年に一度にすることが決まったのです。

ナイロビ、横浜、そしてチュニスへ

１万人を超える参加者を得て、アフリカ大陸で初めて開催されたＴＩＣＡＤⅥは、開催地の名を取った「ナイロビ宣言」が採択され、大成功に終わりました。アフリカでもＴＩＣＡＤがやれる。アフリカの参加者たちは自信に満ちあふれていたことでしょう。予算面、治安面、運営面など、様々な心配もありましたが、終わってみれば良い会議だったと思います。日本のビジネス関係者も多数参加し、その意味でも、従来のＴＩＣＡＤと一線を画す節目となったのではないでしょうか。

続くＴＩＣＡＤ７は横浜で開催され、次はまたアフリカ開催です。第８回ＴＩＣＡＤはチュニジアで開催されることがＡＵ総会で決定しました。この決定を踏まえて、ＴＩＣＡＤ共催者が協議し、ＴＩＣＡＤ８をチュニジアの首都チュニスとすることになりました。

ＴＩＣＡＤ８は、コロナ禍によって、開催の規模が縮小されましたが、多くのアフリカからの参加が得られました。また、全体会合とは別に、日本とアフリカの企業関係者が参加するビジネスフォーラムが開催されました。日本は、アフリカと共に成長するパートナーとして、「人への投資」と「成長の質」を重視する日本らしいアプローチを説明し、３年間で官民総額３００億ドル規模の資金を投入する考えを示しました。特に、グリーン成長、スタートアップを含む投資の促進、重債務に苦しむアフリカの現状を考慮して、開発金融へのてこ入れ、感染症対策などの保健分野の支援、人材育成、地域の安定化や食料安全保障の各分野が重視されています。また、ビジネスの面では、日本とアフリカの企業の間で92件もの取り決めが結ばれました。最後に、２日間の議論を総括して、チュニス宣言が採択されました。その中で、アフリカの課題だけでなく、ウクライナ情勢、国連改革、気候変動、開発金融、核不拡散などのグローバルな問題についても合意されました。

アフリカ通への一歩

ＴＩＣＡＤの回数の表記について（Ⅰ、Ⅱ、Ⅲ、Ⅳ、Ⅴ、Ⅵ、７、８）

ＴＩＣＡＤの表記について、お気づきでしょうか。ＴＩＣＡＤの回数を表すのにローマ数字（Ⅰ、Ⅱ、Ⅲ）が使われてきたのですが、第７回以降はアラビア数字になっていることを。

表記を変更した理由は、段々とわかりにくくなってきたからです。ＴＩＣＡＤⅡ、ＴＩＣＡＤⅢとするよりは、ＴＩＣＡＤ７、ＴＩＣＡＤ８のほうがわかりやすいですね。２０２５年にはＴＩＣＡＤ９が予定されています。

ところで、１９９３年に最初のＴＩＣＡＤを開催したとき、シリーズ化することは必ずしも決まっていませんでした。よって、ＴＩＣＡＤの単語の後に、１回目を表すローマ数字の「Ⅰ」は付いていませんでした。ＴＩＣＡＤⅡを開催し、その後回数が重なったことで、第１回目ということがわかるようにＴＩＣＡＤⅠとなったのです。

TICADの「マルチ性」

乱立するアフリカ（AU）のパートナーシップにおいて、TICADの特徴を一つ挙げるとすると、それは「マルチ性」だと言えるでしょう。マルチとは、英語の「マルチラテラル（multilateral）」のことで、「多角的、多元的、多国間の」という意味です。他のパートナーシップは、アフリカとEU、アラブ連盟、中国、トルコ、インド、韓国といったように、ある国（機関）とアフリカ、の2局での会合です。TICADはというと、日本とアフリカだけでなく、アジア諸国や開発パートナー（主に欧米）が参加します。ならば、TICADのマルチ性は、「多国間の」と訳すべきかというと、それでは十分ではありません。なぜなら、「国・政府」以外にも、国際機関・地域機関、シンクタンク、民間セクター（ビジネス）、市民社会（NGO）、個人といったあらゆる種類・層が参加するからです。「多国間」に収まらない、「多角的・多元的」な性格。これが、TICADのマルチ性です。

TICADの今後

TICADは、あと2回（6年）で10回目を迎えることになります。2028年の世界情勢を正確に予測できる人はいません。TICADは一体、どこまで行くのでしょうか？

単純計算すると、TICAD17の頃に、2050年を迎えます。国連の人口動態予測で、世界人口の4人に1人はアフリカ出身者となっている頃です。アフリカと欧州の立場が完全に入れ替わった世界を風刺した、アフリカ人監督による映画がありましたが、単なるジョークでは終わらないかもしれません。そうなったら、世界は、日本は、TICADは、アフリカとどう向き合っていくのでしょうか？

間違いないのは、日本とアフリカの関係はますます重要になっているということでしょう。そのためには、形式や名称はどうであれ、TICADのような開かれた対話のプラットフォームが有効活用される必要があると思います。

アフリカ通への一歩

AUパートナーシップとは

アフリカは、TICAD以外にも、欧州（EU）、アラブ世界（アラブ連盟）、中国など、多数の国や機関との間に、首脳級や閣僚級の協力の枠組みを有しています。3年ごとあるいはお互いに決めたタイミングでハイレベルの会合を開催しています。こうした枠組みを、AUのパートナーシップと呼びます。

最近だと、インドネシア、サウジアラビア、カリコム（カリブ共同体）もパートナーシップ参入を狙っているようです。アフリカがいかに世界から人気を得ているかがわかるでしょう。

4 野口英世とアフリカ

野口英世の功績と野口記念医学研究所

医師・野口英世。日本人で知らない人はいないくらいの偉人の一人でしょう。貧しい農家に生まれ、幼少の頃に手にひどい火傷を負って障害を抱えつつも、医師・細菌学者となり、渡米。その後、黄熱病の研究のために英領ゴールド・コースト（現在のガーナ）に滞在しましたが、自身も黄熱病に倒れ、1928年に51歳でこの世を去りました。酒好きで浪費家だった一面もあったと言われています。ノーベル医学賞候補に三度名を連ねるほど研究熱心でしたが、受賞はなりませんでした。

2004年発行の千円札の肖像にもなっているのは皆知るところでしょう。ちなみに、2024年には北里柴三郎にバトンタッチし、その裏面には、葛飾北斎の富嶽三十六景「神奈川沖浪裏」が描かれるようです。

野口語録の一つとして、「ナポレオンは3時間しか寝なかった」というのがあります。独力で勉強して医者になった努力家ならではですね。あとになって思えば、私の母は、私が幼少の頃から、この言葉を私に吹き込んでいました。仕事で深夜残業し、頭が煮詰まってくると、しばしばこの言葉を思い出したものです。

図63・64 野口記念医学研究所

野口英世はアフリカとの文脈で語られることが多いです。黄熱病の研究でガーナに渡航したことがその理由です。そのガーナに、1979年、日本政府の支援によって医学研究所が設立されました。「野口記念医学研究所(Noguchi Memorial Institute for Medical Research(NMIMR))」です(図64・65)。この研究所の研究能力の向上のため、日本政府は、技術協力、施設整備・機材供与等の支援を行っています。

コロナ対策としても、西部アフリカで中心的な役割を果たしている、現役バリバリの医学研究所です。

野口英世アフリカ賞とTICAD

野口英世の志を受け継ぎ、アフリカのための医学研究・医療活動それぞれの分野において顕著な功績を挙げた方々を顕彰し、アフリカに住む人々、ひいては人類全体の福祉の向上を図ることを目的として、「野口英世アフリカ賞」(以下、野口賞)が創設されました。2006年7月、小泉総理(当時)と来日中のコナレ・アフリカ連合委員会(AUC)委員長(当時)により、野口賞に関する記者発表が行われました。そして、2008年に横浜で第4回アフリカ開発会議(TICADⅣ)が開催された機会に、第1回野口賞授賞式典が執り行われました。以後、TICADの機会に、野口賞の発表が行われることとなったのです。

これまで、野口賞授賞式は4回開催されました。受賞者は以下のとおりです。

・第1回(2008年)

【医学研究分野】ブライアン・グリーンウッド博士(英国)、ロンドン大学衛生熱帯医学校教授

【医療活動分野】ミリアム・ウェレ博士(ケニア)、国家エイズ対策委員会(NACC)委員長

・第2回（2013年）

【医学研究分野】ピーター・ピオット博士（ベルギー）、ロンドン大学衛生・熱帯医学大学院学長

【医療活動分野】アレックス・G・コウティーノ博士（ウガンダ）、マケレレ大学感染症研究所所長

・第3回（2019年）

【医学研究分野】ジャン＝ジャック・ムエンベ＝タムフム博士（コンゴ民主共和国）、国立生物医学研究所（INRB）所長・キンシャサ大学医学部医学微生物学／ウイルス学正教授

【医療活動分野】フランシス・ジャーバス・オマスワ博士（ウガンダ）、グローバルヘルスと社会変革のためのアフリカセンター（ACHEST）所長

・第4回（2022年）

【医学研究分野】サリム・S・アブドゥル・カリム博士（南アフリカ）、南アフリカ・エイズ研究プログラム・センター（CAPRISA）所長、カライシャ・アブドゥル・カリム博士（南アフリカ）、CAPRISA次長（ご夫妻での受賞）

【医療活動分野】ギニア虫症撲滅プログラム（カーターセンター主導の下、アフリカの保健省、地域社会、NGO、世界保健機関（WHO）、米国疾病予防管理センター（CDC）等

の主要パートナーとの協力によるギニア虫症対策の国際的キャンペーン）

野口博士が日本の総理に語りかけて生まれた野口賞

第1回野口賞が発表される1年前の２００７年7月に開催された経団連の常任理事会における小泉元総理の講演に、野口賞が誕生したエピソードが語られています。その中からいくつか関連部分を抜粋しながら、野口賞の誕生譚を紹介します。

野口賞のアイデアは、小泉総理が現職の総理大臣として２００６年にガーナとエチオピアを訪問した際に誕生しました。なぜこの2ヵ国が訪問先に選ばれたのかというと、エチオピアにはＡＵ本部があること、そしてガーナについては、野口英世博士が黄熱病の研究途中で亡くなった国、という要素が大きかったようです。総理が政府専用機に乗って日本を発ち、最初の訪問地であるガーナに向かう途中に、給油のためにアジアの某国の空港に駐機している間のこと。機内の総理室で考え事をしている総理に対して、野口博士が嬉しそうな声で語りかけてきたのだそうです。「よく来てくれたな」と。そして、疾病や貧困に悩んでいるアフリカの人々に、日本として何かするべきだと考えた結果、野口賞の実施に至った、という次第です。

研究者としてだけでなく、人間野口英世、としても関心をひきます。

貧しい家庭で育ち、囲炉裏で手にやけどを負い、学費も医療費も出せない中で、周囲が彼の才能を認め、資金援助を行ったことや、渡米してロックフェラー医学研究所で素晴らしい業績を収めたこと、尋常ならざる情熱や使命感に感銘を受けたようです。

同時に、もう一つの人間性として、借金王だったことにも触れています。散々借金を踏み倒しても、また貸す人がいる、と。

「野口英世は借金王だと、確かに天才的借金王。あれほどの貧苦の中から、アメリカに渡って、そして、世界的な功績をあげた。こういう天才でありますので、考えてみれば、亡くなった借金王の野口博士が、現職の総理に借金を申し込んだと思えばいいのかな、と思っています。野口英世という天才に入れあげるのであればいいなぁと、喜んで募金委員会の代表世話人になりました。」

そして、総理大臣の5年5ヵ月の退職金をすべて野口賞に寄付されたとのことです。

ところで、野口賞の募金は一口千円と決められました。千円札の肖像画が野口英世だから、という理由に加えて、政府や大企業だけでなく、一般国民にも、小学生でも寄付していただけるように、という期待が込められています。

「多くの国民が野口英世の人生を見て、学んで、何か感じる。それで勇気づけられる。自分も何か努力しようと。そしてその善意がアフリカの病に苦しんでいる人たちを少しでも助けることになるので。」

図65　アディスアベバ市内の
総合病院での PCR 検査会場

5 カイゼンをアフリカに導入！

カイゼンとは？

「カイゼン」をご存知でしょうか。「改善」ではなく「カイゼン」または「KAIZEN」です。カイゼンとは、もともとは、工場の生産現場の作業効率や安全性の確保を見直す活動のことです。現場の作業者が中心となり知恵を出し合うことで問題を解決する点がポイントで、語源は「改善」ですが、それと区別するために「カイゼン」とカタカナ表記されることが多いです。特に、トヨタ自動車のカイゼンは有名で、しばしばトヨタ生産方式の強みの一つであると説明されます。海外でも、「Kaizen」は、会社から個人まで様々な分野で活用されています。

日本の高度経済成長の原動力の一つである「カイゼン」は、小さな努力の積み重ねが大きな成果を生む、という実に日本らしい発明です。この日本の品質・生産性向上の仕組みが、世界の生産現場で存在感を高めています。米国では、製造業や病院に加え、軍隊でも導入されているそうです。

アフリカの開発を支えるために、日本はカイゼンを普及させ、人材育成、生産性向上を目指すプロジェクトを実施しています。最初にアフリカでカイゼンを導入したのはエチオピアです。これは、当時のメレス首相からの要請に基づいて検討した結果であって、日本から持ちかけたものではありません。しかし、メレス首相から明示的に「カイゼンをやってくれ」と言われたのでもないのです。

では何がどうしてそうなったのか。メレス首相が発した一言がキラー・メッセージとなって、「カイゼン・プロジェクト」が誕生しました。誕生秘話、というのは大げさかもしれませんが、その経緯にたまたま立ち会った者としてご紹介します。

日本にしかできないこと

2008年のある日、突然、首相府から、「メレス首相（当時）が日本大使に会いたがっている。すぐ来てほしい」と連絡がありました。

執務室で我々を待っていた首相に対し、日本大使はエチオピアとの関係、日本の開発協力など、話題を展開しました。

一方のメレス首相は、いつもそうするように、微笑みながら大使の話を聞いていました。この指導者は、若い頃は神童と呼ばれ、大学で医学を専攻したものの、1974年のクーデタで国を支配した軍事政権との闘争に参加し、ついには指揮を執り、1991年にこれを打倒。以来、エチオピア首相として国家の運営を行ってきました（2012年に死去）。相手の話を遮ることなく最後まで聞き、その表面上の意味ではなく、その奥にある意図を理解しようとする洞察力が非常に優れた人物です。大使の話を聞き終えたメレス首相は、なるほど、という感じで一拍おいて、こう述べました。

「たった今、貴使が述べられたことは、いずれも重要な二国間の協力案件であり、ありがたい。しかしながら、日本がそれらを行うことは、いわば至極当然だと思っています。例えば、私が日本になぜこの区間の道路建設を依頼したか。この技術を要する橋の建設をなぜ日本に依頼したか。それは、日本にしかできない難易度の高い挑戦だったからです。普通の道路、橋やダム建設なら、欧州や中国に依頼すればよいのです。」

この頭脳明晰な政治家の思考回路についていかねばなりません。今度は、我々のほうが、メレス首相の言葉の真意を探る番でした。

「日本には、日本にしかできないことをやってほしい。」

これが、エチオピアの日本に対する期待だ、というメッセージだったのです。

必要なのは、労働倫理と現場監督

「日本の出席者からこんな本をいただきました。日本大使は当然読んでますよね。念のため、該当部分のコピーをお渡しします。」

意味ありげな言い回しで、メレス首相は滔々と語り始めました。

２００８年７月にアディスアベバで開催された、アフリカ経済に関する会議に、メレス首相も出席しました。これは、当時、アフリカ経済版のダボス会議（世界経済フォーラム年次総会）とも言われ、ノーベル経済学賞受賞者のスティグリッツ教授が主催し、アフリカの政府高官や世界中のエコノミストも参加する会議でした。ここで、日本の政策研究大学院大学（ＧＲＩＰＳ）のＧＲＩＰＳ開発フォーラム（ＧＤＦ）が活動報告を行いました。メレス首相は、そこで、ＧＤＦの出席者から一冊の本を渡されました。この本の中に、北部アフリカで日本が行った協力案件についての記述がありました。それは、ホテル従業員の人材育成に関するもので、ＥＵが計画の全体像を策定し、日本はその指導員の教育指導を行ったものでした。

「規範を書くのは、それが得意な欧州人にやらせればよい。重要なのは、労働倫理です。それを理解し、根付かせるためには、現場で働く職員を指導する指導員の教育が必要です。これは、日本が最も得意とする分野であり、日本人にしかできないものです。我々が一番必要としているのはこれであり、日本人から学びたい。」

メレス首相は熱っぽく一気に話しました。また、こうも付け加えました。
「これは全アフリカが必要としています。まずエチオピアから始めていただきたい。エチオピア人は日本人に感覚が最も近く、最初に学ぶ国民に相応しいからです。」

カイゼン・プロジェクトの立ち上げ

これは、とてつもない要請を受けたぞ、というのが最初の印象でした。メレス首相の口から具体的に何をやってほしい、との注文はなされていません。まず、メレス首相の話をしっかり消化し、分析して、日本としてできる最高のプログラムを構築して提示し、また相談して、磨きをかける必要があります。

報告書を提出し、何度かやりとりを経た後、ようやく日本としての協力プロジェクトが提示できるようになりました。これが「カイゼン・プロジェクト」です。メレス首相のもう一つの依頼は、日本の政府や専門家との産業促進のための政策対話の立ち上げでした。

2009年に国際協力機構（JICA）が始めた「品質・生産性向上計画調査」の結果を受けて、エチオピア政府は、エチオピア・カイゼン機構（EKI）を設立しました。JICAの支援を受けて、2011年から3年間、カイゼン活動を民間企業などへ普及させる仕組み作りについての能力開発プロジェクトを実施しました。このプロジェクトの目標は、カイゼンを民間企業に持続的に普及させる体制を確立することです。これが高く評価されて、実際にEKIが主体となって、基礎的なカイゼンの技術を中心とした独自のカイゼン指導が展開されるようになりました。EKIのスタッフは10倍（！）に増員されました。同時に、国内のカイゼン需要も高まって、EKI自身のマネージメント能力の強化や課題解決のための経営戦略など、より高度なカイゼン技術の習得や、民間企業へカイゼンを普及するための指導の質の確保が必要になってきました。うれしい悲鳴です。EKIの本部事務所は、エチオピア政府の庁舎に間借りしていましたが、現在は専用のビルを日本の支援で建設中です（2022年7月現在)。

カイゼンの「哲学」を理解することが成功のカギ

メレス首相は何を望んでいたのでしょうか。ハイレセラシエ1世の帝政時代から、エチオピアは日本を近代化のモデルとしてきました。メレス首相も、欧米よりも日本やアジアの開発モデルを研究し、自国の開発モデルとして取り込んでいきたい、という思いを持っていました。日本の戦後復興の奇跡は、経済復興それ自体がミラクルで起きたのではなく、日本人が以前から持っている勤勉さや労働に対する一人ひとりの倫理観があって、それを常時維持することの大切さを真に理解していたから成し得たのです。それを学ぶことができるプロジェクトをエチオピアでも実施することが必要だ、と考えたのでしょうか。

カイゼンの超基礎編では、例えば、革靴作りの現場で、工具を使ったら必ず定位置に戻す、業務終了後は不要な皮革の切り屑は捨てるなどして自分の作業周辺は清掃してから帰宅する、といったことから学びます。これがいずれ生産性の向上につながり、会社の利益に反映されれば、自分たちの賃金の上昇にもつながるのだ、ということを理解するのは容易ではありません。特に中長期的な効果というものは、体感しにくいし、長期雇用の計画もなければ、そもそも必要性を感じないかもしれません。感じなければやらなくなります。いや、始まりさえしないでしょう。それをやらせるのは現場監督、工場長の仕事ですが、彼らこそがそれを本当に理解しなければ、従業員たちに正しく指導することはできません。カイゼンは、単なるツールではなく、「哲学」でもあることを理解してもらうことが不可欠です。

アフリカ全体への展開

２０１６年、ケニアのナイロビで開催された第6回アフリカ開発会議（ＴＩＣＡＤⅥ）で採択された「ナイロビ実施計画」の「3．民間セクターと人材育成」の項の最初に、「生産性の向上、製造における基準の向上及び質の管理の確保により、労働者に対しカイゼン等の効率的な働き方を導入する」という一文が入りました。これを踏まえて、２０１７年４月に、

ＪＩＣＡとＮＥＰＡＤ（現在はＡＵ開発庁：ＡＵＤＡ‐ＮＥＰＡＤ）との間で、「アフリカ・カイゼン・イニシアティブ」に関する合意文書が署名されました。２０２７年を年限として、①産業化と経済構造転換の促進、②まっとうな仕事（Decent Work）と雇用の創出、③競争力のある革新的な（innovative）人材開発を基本方針として、（ａ）政策レベルでの啓発、（ｂ）Center of Excellence の整備、（ｃ）カイゼン活動の標準化、（ｄ）ネットワーク化によりカイゼンを通じたアフリカ産業の振興、を目指すこととなりました。

図66・67　カイゼンの成果
現場の整理整頓はカイゼンの重要な基本

コロナ禍の中で、ＤＸを活用した働き方改革が各所で行われていますが、私のオフィスでも、その一環として、カイゼンを導入することとなりました。カイゼンの哲学を学び直す良い機会です。

終章

アフリカ人に愛された日本人

——あとがきにかえて

計算すると、私はこれまでの約30年間の職業人生の半分近くをアフリカに関連する業務に費やしました。そのさらに半分をアフリカで過ごしたことになります。日本にいてはなかなか見えないことが、現地に行けばわかる、というのはどこの世界でも同じだと思います。日本人にとっては今でも遠い存在かもしれないアフリカは、意外と身近な存在だと思い知らされました。

グローバル化が進み、バリューチェーンが世界中に張り巡らされ、そして、そう遠くない将来、世界の4人に1人がアフリカ系になる世の中が来ることを考えると、アフリカの存在感はますます増すことになるでしょう。

この本を書き始めた背景には、アフリカに関する情報を、少しでもわかりやすく、できれば面白くお伝えしたいという思いがありました。仕事や研究でアフリカにこれから携わろうとしている方、あるいはすでに関わっている方、その他様々な方に、アフリカの今をお届けできれば大変幸いです。

この本が出版されるまでには、多くの方々のご協力をいただきました。ベレ出版の森岳人編集部長をはじめ関係者の皆様、出版に向けて私の背中を強く押していただいた大先輩の渡邉優様、職場の上司と同僚の方々、それから私の家族や友人の皆さんに、この場をお借りして感謝の気持ちを伝えさせていただきます。そしてお世話になった多くの方々の中で、最後に一人だけ紹介し、本書の結びとさせていただきます。

その前に、ひとことだけ。私が二度目のエチオピア勤務を離れ、モントリオールの日本国総領事館で働き始めて間もない2023年2月、1本のメールで訃報を受け取りました。それは、前任地のAU代表部で現地スタッフとして働いていたエチオピア人の女性職員が闘病の末、天に召されたことを伝える内容でした。アディスアベバにある外国企業の社長秘書からAU代表部の空席ポストに応募し、採用されてから、彼女は張り切って仕事に励んでくれました。野心家でもあり、将来は自分のビジネスを立ち上げたいと、経営学のマスターコースに登録し、運転免許取得のために教習所にも通い始めていました。そんな彼女に難病が襲いかかりました。千羽鶴を折ってお見舞いに行ったときは、こんな素晴らしい文化を持つ日本のみなさんがうらやましい、と喜んでくれました。彼女も我々も、最後の最後まで完治を信じ、職場復帰を願っていました。私は、離任後もメッセージのやりとりを続けていました。モントリオールに着任して1か月が経った頃、ご機嫌伺いをするつもりで「もう1か月も経つんだよ、信じられる?」と少しおどけた調子でメッセージを送りました。「時間が経つのは早い。またすぐに再会できることを願っています」と返事がありました。そして、これが最後のやりとりとなりました。時に、神様は残酷です。目の前に立ちはだかる見えない大きな不安と対峙して最後まで希望を持ち続けた彼女の勇気と努力に心から敬意を表します。

アフリカで国会議員になれるほどの有名人

その方を、仮にS大使とします。私は、勝手にメンターと慕い、アフリカのことや人生についていろいろと学ばせていただきました。

S大使は、「ミスター・アフリカ」と呼ぶに相応しい方で、アフリカの多くの首脳や閣僚とも友人であり、厚い信頼関係を築いておられました。東アフリカの某国の日本大使をされていたときは、その国の隅々まで出向かれ、政府高官だけでなく、現地の人々とも友好関係を築かれていました。この国ではS大使を知らない人はいない、というほどの有名人で、「S大使がこの国で国会議員選挙に出馬したら間違いなく当選するだろう」とまで言われていました。

アフリカ地方出張時の三種の神器

赴任地の隅々まで足を伸ばされたS大使。地方のホテルの中には、必ずしも快適とは言いがたいところもあります。そのようなところに滞在する際に必要なものとして、S大使から伝授された三種の神器があります。まず一つ目は「ビーチサンダル」です。海岸を歩くためではありません。ホテルのシャワーを浴びるときに、床があまり清潔ではない場合に有用です。二つ目は「洗面器」です。バスタブやシンクの蛇口は、水とお湯に分かれて2本付いています。S大使によると、お湯の蛇口を捻ると熱湯が出てくるので、洗面器に水と一緒に溜めて、ちょうど良い湯加減にして、体を洗うのだそうです。お湯が出ないホテルでは、ホテル側に頼んでお湯（熱湯）を持ってきてもらい、洗面器で水と混ぜて温度を調節してから使用するのだそうです。最後は「便座型に切り抜いた段ボール」です。ご想像のとおりですが、便座の上に敷いて使用するためです。薄いし、折りたためるし、使い捨てとして何個でも自作可能。ナルホド、経験者ならではの知恵だと膝を打ったものでした。

ヘビースモーカーは友を呼ぶ

S大使は大の愛煙家として知られていました。

AU総会は、アフリカの首脳だけの会合です。一部のセッションを除き、我々のような非アフリカ人はシャットアウトされます。よって、会議場での議論の内容については、会議場の外でひたすら待ち続け、アフリカの元首や閣僚が会議場から出てきたのを捕まえて、中の様子を聞くしか方法がありません。いわゆる「ぶら下がり作戦」です。ミスター・アフリカは、時に、ふと消えていなくなったかと思うと、ふらっと戻って来て、「今、某国の外務大臣から、こういう話を聞いた」と最新情報を聞き出して来たものでした。一度や二度ではありません。困難な状況でよくそんな情報が取れたなぁ、と思っていたら、何と、会議場内の喫煙所で愛煙家の大臣と偶然出くわして意気投合したそうです。その後も、AU総会のたびに、その外務大臣とはタバコ仲間として喫煙所で再会し、重要情報を聞き出していました。ヘビースモーカーなら誰でもできることではなく、やはりS大使ならでは、の技なのでしょう。

カバンと靴は妥協しない

S大使が駆け出しの頃、米国にある日本総領事館勤務をしたときの話。若手外交官として、一張羅のスーツを来て出勤したところ、上司から次のように言われたそうです。

「君、スーツとシャツはいつもパリッとしたものを着なさい。人は足元を見るので、常に磨かれた良い革靴を履きなさい。また、たとえ中身は空っぽでも、良いカバンを持ちなさい。」

その上司は、「君は若いから安月給だろう」と言って、高価な革製のカバンを買ってくれたのだそうです。

S大使はこれを教訓として、若手職員に対し、身なりを注意するよう指導されていました。私も、襟を正す思いで拝聴させていただきました。

アフリカ人に愛される秘訣

S大使は、アフリカの人々に愛されていました。選挙で当選すると言われるくらいの人気者になれる理由は何だったのでしょうか。私は、ジッと観察していました。まず言えることは、頼まれれば何でもやってあげる。できなくても、何とかしようと考えて手を差し伸べようとする人でした。また、アフリカのためを一番に思って行動する人でした。国際会議の場でも、小柄なS大使を見つけたアフリカの首脳たちが笑顔で歩み寄って来ました。相手が忙しくてゆっくり話をする時間がないとき、S大使は決まって同じセリフを繰り返していました。

「日本はアフリカと共にいる。」

そのために日本からやって来たのだと。S大使は、決して難しい話を早口でまくし立てるようなことはせずに、短いメッセージをゆっくり、相手に植え付けるように話していました。威圧感を与えるようなところはなく、むしろ安心感を覚えるような接し方でした。日本の友人が遠方からわざわざ会いに来てくれた。相手はそう思ってくれたに違いありません。

「その日は必ず来る」

S大使とは、しばしば昼休みにランチをご一緒させていただきました。食事中、仕事や人生について、様々な経験談やお考えを共有いただきました。その中で、心に残っている一言が、「その日は必ず来る」です。

「数年後はまだ先の話だと思うだろう。しかし、時間は着実に経過し、数年経てばその日が必ずやって来る。例えば若いときには、自分が定年退職する日が来るとは実感できないものだよ。でも君にも退職する日が来るんだよ。ということは、自分が死ぬ日も来るということだ。『その日』は必ず来るんだ。」

そして、その日は来た

２０１９年夏、突然Ｓ大使の訃報がメールで届きました。画面を二度見、いや三度見て確認しました。にわかには信じられなかったのは、その約3週間前に、私の携帯電話に連絡をいただいたばかりだったからでした。

「月一くらいでそちらに行く用事があるから、そのときまた連絡するよ。ランチでも行こう」とお誘いを受けて、「ぜひよろしくお願いします」と答えたのが最後のやりとりとなりました。いつもの声と話し方でした。

Ｓ大使が言っていた、最期の「その日」が来たということです。

享年81歳。アフリカでは、「老人が一人亡くなることは、図書館が一つなくなるのと同じことである」と言います。人生と仕事の英知をもう少し長く授けていただきたかったです。あらためて、心よりご冥福をお祈り申し上げます。

著者紹介

森本 真樹（もりもと・まさき）

▶1969 年、福岡県生まれ。1992 年、慶應義塾大学法学部卒業、同年、外務省入省。経済局経済安全保障課、国際貿易課、欧亜局西欧第一課、中東アフリカ局アフリカ部アフリカ第一課等に勤務。海外では、フランス（2 回）、コートジボワール、エチオピア（2 回）に勤務。アフリカ連合日本政府代表部参事官（次席）としてエチオピアに在勤中に本書を執筆。現在、在モントリオール日本国総領事館に首席領事として在勤。2011 年 3 月の東日本大震災の際、南アフリカから駆けつけた 45 人の救援隊「レスキュー・サウス・アフリカ」と共に、震災直後の現地に入り、救援・捜索活動を行った。

◉──デザイン・DTP　神谷利男デザイン株式会社
◉──校閲　曽根信寿

躍動《やくどう》するアフリカ

──外交官《がいこうかん》が見《み》た現代《げんだい》アフリカの政治《せいじ》・経済《けいざい》・社会《しゃかい》・文化《ぶんか》・生活《せいかつ》

2023 年 6 月 25 日　初版発行

著者	**森本《もりもと》 真樹《まさき》**
発行者	内田 真介
発行・発売	ベレ出版 〒162-0832　東京都新宿区岩戸町12 レベッカビル TEL.03-5225-4790 FAX.03-5225-4795 ホームページ　https://www.beret.co.jp/
印刷	三松堂株式会社
製本	根本製本株式会社

ISBN 978-4-86064-729-2 C0025　編集担当　森 岳人